CHINE

ÉDITIONS TIME-LIFE · AMSTERDAM

LES GRANDES TRADITIONS CULINAIRES

CHINE

XIAO HUI WANG / CORNELIA SCHINHARL

Le pays et les gens...
Toutes les grandes recettes
Photos des recettes : Michael Brauner

Russie

Mongolie

Xinjiang

Mongolie intérieure

Heilongjiang

Jilin

Liaoning

Corée du Nord

Corée du Sud

Japon

Qinghai

Ningxia

Shanxi

Hebei

Pékin (Beijing)

Tianjin

Shan-dong

Tibet

Gansu

Shenxi

Henan

Jiangsu

Népal

Bhoutan

Inde

Bangladesch

Sichuan

Hubei

Anhui

Shangai

Long Fleuve

Yangzi

Zhejiang

Human

Jiangxi

Yunnan

Guizhou

Fujian

Taiwan

Birmanie

Guangxi

Guangdong

Canton (Guangzhou)

Hong Kong

Vietnam

Laos

Thaïlande

Hainan

Philippines

Fleuve Jaune

Huanghe

Fleuve Jaune

Yangzi

SOMMAIRE

LA CHINE: HARMONIE ET CONTRASTES

Les Chinois disent plaisamment: «Si un étranger vient en Chine et ne va pas voir la Grande Muraille, c'est regrettable. Mais s'il vient à Pékin et ne mange pas de canard à la pékinoise, c'est impardonnable.» Cette boutade dit assez clairement en quelle estime les Chinois tiennent leur cuisine.

Ce ne sont pas seulement l'immensité du pays, l'infinie variété des produits de son sol et la diversité de ses groupes ethniques — chacun ayant ses propres traditions culinaires — qui ont fait de la cuisine chinoise ce qu'elle est — riche de nuances et de qualités. C'est d'abord l'imagination fertile d'hommes qui ont merveilleusement compris et développé l'art et la manière de métamorphoser les ingrédients les plus simples en plats les plus divers. Et puis... il y a surtout le naturel joyeux et bon vivant du Chinois, qui place le bien manger au centre de la vie. «Faire la cuisine» se dit en chinois *peng tiao*, mais ces deux idéogrammes veulent dire bien plus de choses que l'expression française. *Peng* signifie «cuire», par opposition à «laisser cru», alors que *tiao* englobe deux notions: assaisonner et raffiner. Pour évoquer les origines de la cuisine chinoise, il faut remonter à l'époque de l'homme de Pékin — qui vivait, il y a environ 300 000 ans et connaissait déjà les avantages du *peng*. Vingt siècles av. J.-C. — au moment où le concept de *tiao* commençait, lui, à s'imposer —, les Chinois disposaient déjà d'une batterie de cuisine en bronze assez élaborée. Les bases de la gastronomie chinoise étaient, dès lors, définies. Les cuisiniers de cette lointaine époque utilisaient d'ailleurs déjà l'huile, le sel, le sucre, le gingembre et l'alcool de riz — ingrédients inséparables de la cuisine chinoise contemporaine.

Sur les peintures de certains tombeaux de la dynastie Han, on a découvert que, il y a plus de 2 000 ans, des banquets d'un faste incroyable étaient organisés. C'est également de cette période que datent les premiers livres de recettes rédigés sur des feuilles de bambou. Un banquet représentait alors beaucoup plus que le simple fait de recevoir des invités et de bien les traiter. Entre les plats — qui se succédaient à l'infini — prenaient place des joutes poétiques, des jeux de société et autre intermèdes. Bref, les convives mangeaient et buvaient de l'alcool de riz tout en se divertissant. C'est pourquoi ces festins duraient de longues heures et les plats servis à table étaient légers et digestes. Ils obéissaient également au principe du yin et du yang, selon lequel le repas doit être équilibré et ne jamais lasser: toute la gamme des sensations doit être exaltée, si bien qu'au terme même de dix à douze plats différents, le sens du goût conserve toute son acuité.

Le but de cet ouvrage est de vous faire découvrir et aimer la vraie, l'authentique, cuisine chinoise. Dans un premier chapitre, vous ferez connaissance avec l'Empire du Milieu et ses habitants. Suivront, dans les autres chapitres, des recettes originales, présentées selon l'ordre du menu chinois. Les indications pratiques vous permettront de les réaliser sans problèmes.

Les recettes sont complétées par des notes regroupant informations, tours de main ou détails sur les produits typiques du pays. Les suggestions de menus vous aideront à imaginer toute sorte de repas à la chinoise, du dîner de fête au simple déjeuner familial.

Un glossaire récapitule les notions et noms d'ingrédients importants dans la cuisine chinoise, tandis qu'un index vous permettra de retrouver facilement la recette de votre choix.

Nous vous invitons à découvrir les fastes et les charmes de l'art du *peng tiao*.

LE PAYS ET LES GENS...

La Chine — l'Empire du Milieu, comme l'appellent ses habitants — est le troisième pays du monde par la taille; elle présente, des régions subarctiques jusqu'aux tropiques, quatre grandes zones de paysages caractéristiques: riantes prairies et rivières au sud-est, plaines à blé à perte de vue au nord-est, déserts balayés par les vents et les tempêtes de sable au nord-ouest, montagnes couronnées de neige au sud-ouest. En outre, elle est bordée à l'est par 5 600 kilomètres de côtes. À peu près de la taille de l'Europe, la Chine est composée de vingt-trois provinces, trois régions d'État et cinq territoires autonomes correspondant à des minorités nationales. Elle compte plus d'un milliard d'habitants, dont les traditions, les mœurs, l'histoire, et même l'apparence physique offrent autant de diversité que peut en offrir la population européenne, de l'Italie à la Norvège. Il existe en Chine, outre les Han (90 % de la population), une soixantaine d'ethnies. Les divers dialectes présentent même de telles différences que bien des Chinois ne peuvent se comprendre entre eux que par l'intermédiaire de la langue écrite. Malgré ces disparités, le peuple chinois dans son ensemble se caractérise par certains traits généraux fondamentaux. Dans ses écrits, l'écrivain Lin-Yu T'ang accorde à ses compatriotes les qualités suivantes: la douceur, l'amour de la paix, la pudeur, la ténacité, la gaieté et le sens de l'humour, mais aussi le respect de la tradition, voire même un certain conservatisme. C'est d'ailleurs à ce double caractère profondément enraciné dans la culture chinoise que la cuisine traditionnelle de ce pays a perduré, malgré de nombreuses tribulations, sans perdre de son authenticité.

Tous les Chinois ont, semble-t-il, la même conception de l'art culinaire: pour eux, faire la cuisine et manger font partie du savoir-vivre — dont le sens profond est contenu tout entier dans la manière typiquement chinoise de dire bonjour; dans certaines régions, quand on rend visite à un ami, celui-ci vous salue par la phrase: *Chi fan le ma?* qui, en chinois, veut dire littéralement: «Avez-vous mangé?»

Les Chinois ne peuvent réprimer un sourire de commisération face aux étrangers pour qui le fait de manger correspond au simple besoin de se nourrir, de se remplir l'estomac. Leur amour de la table les fait considérer le moindre ingrédient comestible comme un défi à leur imagination: cuisiner, c'est métamorphoser les aliments les plus simples en de véritables délices par les moyens les plus modestes. Marco Polo, qui resta pendant 17 ans au service de l'empereur Kubilay Khan, avait su définir ce qui fait encore l'essentiel de la cuisine chinoise: «Aucune autre cuisine au monde ne nous offre autant de bonheur en mettant en jeu si peu de chose.»

Le Yangzi, le grand fleuve de la Chine, forme une frontière naturelle entre le Nord et le Sud.

Du Nord au Sud

Ligne de séparation naturelle, le «long fleuve» Yangzi serpente à travers l'immense pays et le sépare en deux parties, le Nord et le Sud. Dans l'extrême Nord-Est, à Harbin par exemple, l'hiver dure environ cinq mois, avec des températures qui plongent souvent à −25 °C. Selon un dicton local, une goutte de pluie est gelée avant de toucher le sol. Le Nord est plus dénudé, le climat est plus rude, les hommes doivent supporter des tempêtes de sable et de vent, des périodes de sécheresse intense ou les inondations du fleuve Jaune. Dans ces régions, ce sont surtout le blé et le mil que l'on cultive, car il n'y a en général qu'une seule récolte par an. Les murs des maisons sont plus épais et les fenêtres plus étroites. Dans les endroits où il fait très froid, on trouve encore, à la campagne, le système de chauffage traditionnel qui utilise l'air chaud et la fumée de la cuisinière

en les faisant passer, grâce à des tuyaux, dans les murs et jusque sous le lit à l'ancienne maçonné en briques d'argile, le *kang*. Pendant la journée on recouvre le lit d'une natte en bambou sur laquelle on pose une table; le soir, on y déroule un matelas en coton rembourré. En revanche, dans le Sud, comme sur l'île Hainan, il n'y a pratiquement pas d'hiver. Le paysage est plus doux, plus aimable, le sol est si fertile et le climat si agréable que les fruits et les légumes frais poussent en abondance toute l'année. Les récoltes de riz ont lieu deux fois, voire trois fois par an. C'est aussi dans le Sud que se trouvent les plantations de thé. La vie quotidienne se déroule essentiellement en plein air, par exemple dans les cours, et l'architecture des maisons est largement ouverte sur l'extérieur. Compte tenu de la douceur du climat, c'est aussi dans le Sud que furent créés les jardins et les parcs les plus beaux de Chine, qui incitent d'autant plus les populations à vivre dehors.

Province de Canton: des Chinois reviennent du travail...

Les conditions naturelles — tellement différentes dans les deux parties de la Chine — ont, bien entendu, façonné le caractère des individus. Les Chinois du Nord passent en général pour être enjoués, loyaux et durs à la tâche. Les Chinois du Sud seraient, en revanche, plus subtils, habiles en affaires et conviviaux. Dans le Nord, les repas sont roboratifs et l'on apprécie les boissons fortes qui réchauffent le corps. Le plus souvent, c'est de l'alcool de riz. La vaisselle, elle aussi, est plus rustique. Les bols et les coupes ont un diamètre qui ne dépasse pas 20 centimètres et sont confectionnés dans une céramique assez grossière. Les Chinois du Sud apprécient mieux le raffinement, ils privilégient le riz, un vin de riz plus doux et utilisent des bols en porcelaine plus fine, plus délicate.

Une triple origine

Trois raisons expliquent la variété et la créativité de la cuisine chinoise. Tout d'abord, la misère matérielle des couches les plus pauvres de la population. Ensuite, l'intérêt que les poètes et les savants ont toujours porté à tout ce qui touche à la nourriture. Et enfin, la place privilégiée occupée par la cuisine et les repas à la cour de l'empereur pendant plus de 3 000 ans.

Du besoin naît l'invention

Le Yangzi, troisième fleuve du monde, est certes le plus grand fleuve de Chine. Mais c'est le légendaire fleuve Jaune (Huanghe) qui est en quelque sorte le berceau de la civilisation chinoise. À peine est-il né des neiges du Tibet qu'il traverse des hauts plateaux argileux où le limon le colore en jaune. C'est là,

le long de ses rives, que s'établirent les premières populations. Il a apporté aux hommes nombre de bienfaits. Il a, par exemple, rendu possible l'invention de la céramique et donné vie à l'agriculture. Mais il est aussi porteur d'une grande menace, car il entraîne avec lui des masses énormes de boues qui élèvent constamment le niveau de son lit. Aujourd'hui, le fleuve Jaune est maîtrisé par des digues et des barrages. Mais, par le passé, les Chinois ont connu bien des inondations meurtrières et les populations ont eu à supporter des famines à répétition. On ne s'étonnera pas, dans ces conditions, de voir les hommes rechercher tout ce qui, dans le règne végétal ou animal, peut passer

Porteur ployant sous le poids de ses charges.

pour comestible et en faire ensuite leur ordinaire, même s'il s'agit de serpents ou de racines. C'est l'imagination qui leur a permis de métamorphoser les choses les plus simples en préparations délectables. Le combustible lui aussi était rare, ce qui poussa les Chinois à mettre au point des

Le porte-bébé traditionnel en tissu a été inventé afin que les femmes aient les deux mains libres pour travailler.

Le célèbre Bouddha allongé de Dazu a été sculpté à même le rocher.

méthodes de cuisson rapides, où les ingrédients sont coupés en petits morceaux et cuits très rapidement.

Le pays des pêchers en fleur

En Chine, les écrivains, les artistes et l'intelligentsia en général ont toujours considéré la cuisine comme l'un des beaux-arts. Leur plaisir n'était pas seulement de consommer des mets appétissants et bien préparés, ils estimaient que les aliments devaient réjouir l'œil en étant présentés selon certains critères esthétiques. Aimant en outre les arômes pénétrants, ils donnaient aux plats des noms évocateurs et poétiques. Ce n'est pas un hasard si les poètes et les savants de renom se sont intéressés de près à l'art culinaire. Cet engouement est lié au fait que la situation politique, à la fin de la dynastie Tang (907), par exemple, était relativement instable et que la position d'intellectuel n'était pas de tout repos: il suffisait d'une légère divergence d'opinion pour perdre la vie. Les érudits recherchèrent alors des occupations moins dangereuses. On s'intéressa surtout à la nature, au jardinage, à la peinture, à la calligraphie, à la poésie, au cours de réunions conviviales entre amis, le plus souvent avec de la musique, des jeux de société,

de bons vins et naturellement tout un choix de plats exquis, dont on avait imaginé la composition et la préparation longtemps à l'avance.

Cet intérêt porté à la nourriture devenait parfois obsessionnel. Ainsi, un poète de cette époque, qui n'était pas particulièrement fortuné, se désignait-il lui-même sous le nom d'«esclave des écrevisses», car, dès le début du printemps, il devait commencer à mettre de l'argent de côté et prendre ses dispositions pour pouvoir inviter ses amis le soir de la fête de la Lune en leur offrant du vin et des écrevisses.

À cette époque, le prétexte d'une invitation était souvent lié à un événement de nature culinaire, comme le montrent les billets d'invitation suivants: «Ma nièce a rapporté un bon vinaigre du Zhejiang et un canard mariné de Nankin.» Ou bien: «Nous sommes déjà à la fin du mois de juin, si tu ne viens pas maintenant, il faudra attendre l'année prochaine pour pouvoir manger de ce poisson.»

En Chine, il existe une expression pour désigner le genre d'existence qui ne s'occupe que de choses belles et agréables: «le pays des pêchers en fleur», c'est-à-dire qui n'appartient pas au monde d'ici-bas.

Sur le mur de cette cuisine paysanne typique du Sichuan, on voit encore les signes porte-bonheur du Nouvel An tracés sur fond rouge.

Sur ordre de l'empereur

Il y a 3 000 ans, sous la dynastie des Chou, 208 fonctionnaires du palais, aidés de plus de 2 000 serviteurs répartis en 22 «unités de travail», s'occupaient déjà exclusivement du boire et du manger. Sous celle des Han (206 av. J.-C. -220 apr.), cette population atteignit le nombre de 6 000 employés, chargés d'organiser des banquets somptueux. Ainsi l'empereur Wudi (140-87 av. J.-C.), à l'occasion d'une grande fête en l'honneur des chefs des minorités nationales, fit-il réaliser, pour faire étalage de ses richesses, «une forêt de viande» et «un étang de vin». Tout au long de son histoire, la Chine impériale réserva aux choses de la table une importance exagérée. Tout ce qui touchait à la cuisine était poussé au raffinement suprême. Tout devait être parfait, qu'il s'agisse de la saveur ou de l'apparence des mets, et la moindre faute était sévèrement sanctionnée. Nombreux sont les ouvrages et les documents qui attestent le luxe de la table au palais impérial. En l'occurrence, l'impératrice douairière Tseu-hi (1835-1908) n'hésita pas à faire décapiter certains cuisiniers dont elle n'avait pas apprécié les plats végétariens — qu'elle avait l'habitude d'absorber à des jours précis. Sous toutes les dynasties, répondre aux souhaits de l'empereur était un devoir absolu. Sous la dynastie Qing (1644-1911), une variété de hareng de Hangzhou — à la saveur insurpassable à la fin du printemps — était tout particulièrement appréciée: gourmandise dont l'empereur, bien entendu, ne pouvait se passer. Mais, comme Hangzhou se trouve à plus de 1 000 kilomètres de Pékin et du fait qu'il

Le dragon symbolise l'empereur ainsi que le yang, principe masculin.

C'est dans la province de Gansu, au nord-ouest de la Chine, que se termine la Grande Muraille.

En Chine, la bicyclette est, aujourd'hui encore, le moyen de transport le plus courant.

n'existait à l'époque aucune technique de transport réfrigéré, on fit creuser des étangs tout le long du chemin, à intervalles de 15 kilomètres, où l'on rejetait régulièrement les poissons pour les rafraîchir afin qu'ils arrivent vivants et tout frétillants à Pékin.

Le dernier empereur de Chine, Pu-yi, décrit dans ses souvenirs le repas quotidien préparé pour l'impératrice douairière Tseu-hi et une autre femme de l'empereur. Pour elles deux, une centaine de plats différents étaient préparés, disposés sur six tables, et ce chaque midi. Naturellement, les deux femmes ne mangeaient pas tout, mais l'ensemble des plats créaient l'harmonie visuelle indispensable à la qualité du repas.

Les styles de cuisine

Une femme en train de pêcher dans un lac près de Wu-Han. Le poisson qui en provient est particulièrement réputé.

L'Empire du Milieu est immense et constitué de nombreuses régions très différentes les unes des autres par le climat et les ressources vivrières. En outre les populations qui s'y côtoient

ont des goûts, des habitudes et des traditions culinaires très différents les uns des autres. Chaque région a donc développé un style de cuisine qui lui est propre. On a tenté à mainte reprise un classement tenant compte de ce kaléidoscope culinaire.

La division entre cuisine du Nord et cuisine du Sud, le Yangzi servant de frontière, est un peu grossière, encore qu'on prétende qu'au Sud du fleuve s'étend un pays «de poisson et de riz» dont la richesse est enviée des gens du Nord.

Distinguer huit styles correspondant à huit régions est quelque peu arbitraire et correspond plutôt au chiffre porte-bonheur que représente le huit.

On peut raisonnablement évoquer quatre styles bien définis tenant compte du climat et des ressources de quatre régions géographiquement distinctes: la cuisine du Nord centrée sur Pékin (Beijing) et le bassin du fleuve Jaune; celle de l'Est, c'est-à-dire Shanghai et la côte; celle du Sud, dite cantonaise, et enfin celle de l'Ouest, ou Sichuanaise.

La cuisine de Pékin et du Nord

Elle représente magistralement l'art culinaire du nord de la Chine, le Shandong, dont fut issue, sous la dynastie Ming (1368-1644), la cuisine impériale. Dans l'histoire chinoise, Pékin, la capitale, était également le siège du gouvernement. Il est donc naturel que la cuisine du Nord, qui était en faveur à la cour impériale, soit considérée comme la cuisine classique.

Pour prévenir les moindres souhaits de l'empereur, les cuisiniers s'efforçaient de réaliser les plats les plus coûteux et les plus originaux, avec des ingrédients tels que nids d'hirondelles ou pattes d'ours,

qu'il était particulièrement difficile de se procurer. Aujourd'hui, les aliments de base des Chinois du Nord sont tirés de la farine de blé, comme le *mantou*, ou pain à la vapeur, et toute la gamme des nouilles et des ravioli. Les spécialités de la région sont par exemple les *jiaozi* (ravioli chinois, *page 104*) ou les *baozi* (brioches farcies cuites à la vapeur, *page 107*). Dans le Shandong, on les apprécie surtout avec une sauce à base de vinaigre, de sauce de soja et d'ail haché. Le célèbre canard à la pékinoise *(page 59)* est lui aussi une spécialité de cette région. Le poireau est un autre ingrédient de base de cette cuisine, et le mélange d'ail et de poireau est parfois consommé cru.

La cuisine de Shanghai et de l'Est
Deux villes sont à l'origine de ce type de cuisine: Suzhou et Yangzhou, qui furent florissantes sous les dynasties Ming et Qing. Parcourue d'innombrables canaux et bras de rivière, la ville de Suzhou est d'ailleurs appelée la Venise de l'Est. Aujourd'hui, le grand centre commercial est Shanghai, ville la plus cosmopolite et peuplée de Chine. La province tout entière est sillonnée de fleuves et constellée de lacs, et le climat y est particulièrement favorable à la culture du riz et des légumes. L'art culinaire de la région est caractérisé par la virtuosité de la découpe et de l'émincé. L'autre trait dominant est de préserver au maximum la couleur et la saveur naturelles des aliments. C'est pourquoi les cuissons sont très courtes, les plats peu assaisonnés (on emploie beaucoup moins de sauce de soja que dans le Nord), mais toujours préparés avec un grand raffinement et beaucoup d'attention. Une spécialité à base de germes de soja permet d'apprécier ce style raffiné: les germes sont évidés, farcis d'œufs de poisson et pochés rapidement dans un bouillon de volaille.

Les montagnes blanches du Hunan fascinent par leurs formes bizarres.

Sur les marchés chinois — comme celui-ci dans le Sichuan — la volaille est toujours vendue vivante.

*Marchand de poissons
proposant sa marchandise
fraîchement pêchée.*

*Cet homme porte le
costume traditionnel de
la province du Sichuan.*

*Dans les campagnes chinoises,
l'égalité des droits
entre l'homme et la femme
n'est pas encore une réalité.*

La cuisine du Sichuan et de l'Ouest

Le Sichuan, grand producteur agricole,
est la province la plus peuplée du pays.
Il y pousse encore des forêts de bambous
où trouvent refuge les dernières
populations de pandas. À l'ouest de la
province s'élèvent des montagnes
déchiquetées. La température estivale
dépasse parfois 40 °C, mais les hivers
sont doux, ce qui permet des récoltes
tout au long de l'année. La cuisine de
Sichuan possède, elle aussi, une longue
tradition et, sous la dynastie Ming (1368-
1644), était considérée comme la plus
évoluée de toutes les cuisines de Chine.
Familiale et assez simple quant aux
ingrédients de base (ce qui ne veut pas
dire que ces plats présentent peu
d'intérêt — au contraire, la cuisine du
Sichuan est devenue si populaire dans
toute la Chine que certaines spécialités
figurent désormais sur la carte des
meilleurs restaurants, comme, par
exemple, le tofu à la Ma Po — *page 84),*
cette cuisine très relevée privilégie
les assaisonnements. Ici, la saveur
intrinsèque des ingrédients compte moins
dans le plat que le choix des condiments
où se retrouvent essentiellement le
piment et le fameux poivre du Sichuan.

Souvent les plats se différencient entre
eux par des nuances subtiles entre les
saveurs de base qui passent par le
piquant-acide, l'aigre-doux-piquant, le
piquant-pimenté, etc. Comme la gamme
des épices et des condiments est
extrêmement vaste, il est relativement
facile d'imaginer des préparations
très diverses en partant des mêmes
ingrédients de base.

La cuisine de Canton et du Sud

La cuisine du Sud, qui recouvre celles de
Canton, Hong Kong, Taiwan et Haiwan,
est des plus variées et utilise un éventail
infini d'ingrédients. Il est vrai qu'on élève
du bétail dans le delta de la rivière des
Perles, que les légumes poussent en
abondance dans ce climat subtropical,
qu'on pratique l'aquaculture dans les
étangs et que la mer est loin d'être avare

de ses produits — poissons et crustacés. La cuisine cantonaise, qui fait aujourd'hui figure de référence absolue, fut, durant des siècles, totalement méconnue. De fait, dans la Chine ancienne, tous les habitants des provinces excentrées passaient pour des barbares. On disait, par exemple, des habitants du Fujian qu'ils étaient capables de manger n'importe quoi — tout ce qui vole sauf les cerf-volants, tout ce qui vit dans l'eau sauf les bateaux et tout ce qui a des pattes ou des pieds sauf les chaises. Parmi les ingrédients les plus exotiques de la cuisine cantonaise figurent les serpents — à qui l'on attribuait des vertus aphrodisiaques mais que l'on consomme de nos jours à l'automne en soupe épaisse —, des chiens élevés spécialement pour leur chair, des petits oiseaux mangés entiers et des vers de riz.

Ces ingrédients sont néanmoins utilisés dans des circonstances exceptionnelles. La cuisine de tous les jours est fraîche et légère et s'emploie, encore plus qu'ailleurs en Chine, à créer une harmonie entre saveurs et couleurs. La texture est, elle aussi, très importante et va du croquant des légumes sautés à la consistance veloutée de certains plats de riz. À Guangzhou, autrefois Canton, des rues entières sont occupées par des restaurants et des maisons de thé, surtout autour du port et du quartier des affaires. Tôt le matin ou à l'heure du déjeuner — jamais le soir — ils servent du thé et des *dim sum*, petites bouchées farcies sucrées ou salées, cuites à la vapeur, à la poêle ou dans une grande friture. Dans les restaurants, les clients ont le choix entre une infinie variété de ces *dim sum* rangés dans des paniers.

Vente de piment et de poivre du Sichuan (en haut). Les pommes porte-bonheur sont symboles de paix et de prospérité (au milieu). Une scène de marché typique, à Chongqing (en bas).

Ce festin végétarien a été préparé de telle sorte que les mets évoquent – par la forme, la couleur et le goût – du poisson, de la viande et de la volaille.

Après le repas de noces, la mariée passe de convive en convive pour lui offrir une tasse de thé. En retour, elle reçoit un paquet rouge, qui contient un peu d'argent.

Cuisine et poésie

Désigner un plat en se contentant de nommer les principaux ingrédients qui le composent, comme on le fait généralement en Occident, passerait, en Chine, pour être d'une ennuyeuse banalité. C'est ainsi que tel ou tel mets peut porter une appellation symbolique, qui comporte, par exemple, un souhait de bonheur. Le nom d'un plat très connu de la cuisine chinoise se traduit littéralement par «Toute la famille est réunie». Ledit plat se compose d'un canard — cuit dans un plat en argile — entouré de nombreux œufs.

Le plat peut aussi être nommé d'après la manière dont il a été préparé ou en fonction de l'épice qui lui est particulière, de sa couleur spécifique ou de sa forme qui sort de l'ordinaire.

Jadis, les créations culinaires étaient souvent accompagnées d'un nom métaphorique, le plus souvent imaginé par un poète doublé d'un gourmet. Malheureusement, les appellations terre à terre que l'on retrouve dans les restaurants chinois d'Occident n'ont plus rien à voir avec les petits poèmes en prose qui servent à désigner les mêmes plats en Chine.

Les fêtes familiales

L'importance accordée à la nourriture dans la culture chinoise est particulièrement évidente lors des fêtes, qu'elles soient publiques ou familiales. Un mariage, par exemple, célèbre l'union, non pas seulement des fiancés, mais des familles et, tout particulièrement à la campagne, à cette fête majeure de la vie familiale, dont les racines sont profondément ancrées dans la tradition, tout le village est (dans la mesure du possible) convié. Il faut en tout cas que soient présentes toutes les familles qui portent le même patronyme. Dans les

grandes villes, le banquet peut facilement réunir quelque 400 invités. Autour d'un plat principal — par exemple un cochon rôti entier — le banquet doit comporter des plats froids et chauds, des soupes et des douceurs, en tout 5 services constitués de 15 à 20 plats.

Les symboles jouent, lors de cette fête, un rôle de premier plan. En dépit des lois n'autorisant qu'un enfant par couple, la fécondité est révérée. Ainsi le lit des mariés est-il couvert de cacahuètes et de châtaignes, car le mot qui désigne la châtaigne se prononce exactement de la même façon que l'expression «Bon pour les enfants» et les cacahuètes garantiront aux époux un nombre égal de filles et de garçons.

Les mets symboliques jouent aussi leur rôle lors des anniversaires qui ne sont fêtés traditionnellement que pour les personnes d'un certain âge et pour des occasions particulières, par exemple lesdécennies, cinquante ou soixante ans.

Quelle que soit la fête anniversaire, il faut en tout état de cause que le repas comporte un plat de «nouilles de longue vie», qui sont gage d'immortalité.

Les fêtes saisonnières

Même si le calendrier occidental a été officiellement instauré en Chine en 1912, nombre de Chinois s'en tiennent encore au calendrier lunaire.

L'ancienne fête des Moissons a lieu, chaque année, le 15e jour du huitième mois (vers le 15 septembre), quand les récoltes sont rentrées et que la Lune est pleine et particulièrement brillante. Lors de cette fête, on passe la soirée dehors, à admirer l'astre ainsi que les chrysanthèmes — en pleine floraison, puisque c'est l'automne. Les tables sont chargées de melons et de pêches, symbolisant la rotondité de la Lune, et chacun consomme des gâteaux porte-bonheur appelés gâteaux de lune.

Les gros gâteaux de lune, préparés d'après une recette du nord de la Chine, sont joliment décorés, mais très durs. Les gâteaux de la Chine du Sud (à droite) sont plus riches en huile et plus moelleux. On les mange à l'occasion de la fête de la Lune.

Ces grenouilles en sucre sont fourrées de pâte de haricots rouges.

Les découpages en papier rouge du Nouvel An souhaitent «autant de bonheur qu'aucune pièce ne puisse le contenir».

Une légende se rapporte à cette fête. Aux temps anciens, il n'y avait pas un mais dix Soleils et la Terre tout entière menaçait d'être calcinée. Apitoyé, le dieu du Ciel envoya aux hommes un sauveur, archer habile qui tua de plusieurs flèches bien ajustées neuf des Soleils. Mais cet exploit le rendit si arrogant qu'il exaspéra les dieux et fut expulsé des cieux. Une fée le prit en pitié et lui offrit une potion d'immortalité. La femme de l'archer découvrit le breuvage et l'absorba. Ayant perdu toute pesanteur, elle se mit à flotter jusqu'à la Lune, poursuivie par son époux. Depuis lors, elle vit sur la Lune en compagnie d'une grenouille et d'un lièvre dont on aperçoit d'ailleurs les ombres. Son époux fut transporté dans le Soleil; de là, il rend visite à son épouse tous les mois, quand la Lune est pleine. Depuis, l'un et l'autre personnifient le yin et le yang, le froid et le chaud, l'humide et le sec, les principes femelle et mâle.

C'est aussi selon le calendrier lunaire traditionnel que l'on célèbre, en Chine, le 5e jour du cinquième mois, la fête du Bateau du Dragon. Ce jour-là, on mange des gâteaux de riz gluant enveloppés dans des feuilles de jonc. À ce propos, on raconte l'histoire du poète Qu Yuan (né vraisemblablement en 340 av. J.-C.) qui s'était lancé assez tôt dans la carrière politique, mais ne put empêcher la Chine de tomber aux mains des barbares. Désespéré par le triste destin de son pays qu'il adorait par dessus tout, il erra vingt ans durant à travers le pays puis se noya au 5e jour du cinquième mois. Comme toutes les tentatives pour le sauver restèrent vaines, on lança dans la rivière des gâteaux de riz pour que les poissons s'en nourrissent et laissent son corps en paix.

La fête du Printemps

La fête célébrée avec le plus d'éclat — elle dure deux semaines — est la fête du Printemps (selon la terminologie communiste), qui, d'après le calendrier lunaire, correspond au Nouvel An et tombe entre le 21 janvier et le 19 février. Ses préparatifs commencent dès la fin de l'année précédente, avec la fête de la Naissance de Bouddha, le 8e jour du dernier mois, où les Chinois consomment une bouillie de riz. Là encore, ce rite prend sa source dans une légende selon laquelle, un jour que Shijiamoni (Bouddha Çakyamuni) était épuisé et presque mort de faim, une jeune bergère lui sauva la vie en lui offrant son propre repas constitué d'une bouillie de riz. Après avoir mangé, Shijiamoni retrouva ses forces, prit un bain dans le fleuve et s'assit sous un arbre pour méditer. Au 8e jour du douzième mois, il trouva l'illumination.

Les jours suivants, en prévision du Nouvel An, les Chinois mettent des légumes en conserve, font fumer des poissons et des volailles et confectionnent de délicieux jambons. Les enfants reçoivent des vêtements neufs et la maison est nettoyée de fond en comble puis décorée, car, pour le changement d'année, tout doit être impeccable. Durant le dernier mois de l'année, on prend congé de Zao Wang, dieu du foyer, qui, au ciel, commente, devant l'Empereur de Jade, le comportement de la famille durant l'année. Pour s'attirer ses bonnes grâces, la famille dispose des friandises devant son image et lui enduit les lèvres de miel afin que ne coulent de sa bouche que les propos les plus doux. Plus tard, son effigie est brûlée tandis qu'explose un feu d'artifice de pétards.

Les enfants ne sont pas les seuls à apprécier les brochettes de fruits confits, une spécialité très connue de la province du Shandong.

Lors de la reconstitution de la cérémonie impériale, on présente de l'alcool en offrande dans de magnifiques récipients en bronze.

Le Nouvel An est le seul jour de l'année où les femmes n'ont absolument pas le droit de travailler et peuvent se distraire et recevoir tous leurs amis. Les portes des maisons sont ornées de porte-bonheur et l'on suspend aux murs de nouvelles images.

Le dernier jour de l'année est l'occasion d'un festin familial au cours duquel seront servis porc, volaille, poissons et fruits de mer. Il est impératif de laisser des restes, ce qui signifie qu'il y aura toujours à manger en quantité suffisante durant l'année qui vient. Dans le Nord, on mange aussi ce soir-là des *jiaozi* *(page 104)*. En principe, tous les membres de la famille réunis autour de la table ont participé à leur préparation

Le vendeur d'oiseaux en cage boit son thé dans la tasse à couvercle traditionnelle. Le jeune Chinois qui verse le thé doit maîtriser cette technique à la perfection.

durant la journée. On glisse çà et là quelque chose dans la farce, par exemple une pièce de monnaie, une cacahuète ou un morceau de poire. La cacahuète signifie «longue vie», la pièce «fortune» et la poire «vie douce». Pour conjurer le mauvais sort, il faut faire cuire les *jiaozi* avec beaucoup de soin, car, de même qu'il ne faut pas couper les nouilles avec un couteau, de même les *jiaozi* ne doivent pas se déchirer pendant la cuisson. Et si cela se produit, on dira: «Ils ont éclaté...», entendant par là qu'ils étaient trop bourrés de bonheur et de richesses. Ensuite, on passe agréablement le temps jusqu'à minuit, en faisant alterner les jeux de société, puis en faisant exploser des pétards pour chasser les mauvais esprits. Le jour du Nouvel An, toute la famille rend visite aux amis et aux parents. Comme cadeaux, on offre volontiers des boissons alcoolisées ou des friandises enveloppées dans du papier rouge, car le rouge est une couleur porte-bonheur. Au cours de cette journée, ce sont les souhaits de bonheur et de félicité qui occupent le devant de la scène. Officiellement, les fêtes du Printemps durent jusqu'au 15ᵉ jour du premier mois de l'année. Elles se terminent avec la fête des Lanternes, au cours de laquelle on mange des boulettes au riz gluant *(page 129)*. Un marché nocturne est organisé et les rues sont joliment éclairées avec des lanternes rouges qui sont censées apporter prospérité et longévité.

Les boissons

Tout au long de son histoire, la Chine a entretenu des rapports ambigus avec l'alcool. Dans la Chine ancienne — et sous plusieurs dynasties — l'alcool était considéré comme un don des dieux et, en tant que tel, comme un bien beaucoup trop précieux pour être dilapidé: il servait uniquement à faire des offrandes aux ancêtres disparus ou n'intervenait que lors de cérémonies exceptionnelles.

La silhouette du poète Li Bai en train de boire est, aujourd'hui encore, très connue (en haut). La province d'Anhui est célèbre pour son thé «nuages de brume».

En d'autres époques, il fut même virtuellement prohibé.

Ce ne fut toutefois pas toujours le cas et l'histoire chinoise regorge de figures célèbres qui étaient fort loin de pratiquer l'abstinence. On cite, par exemple, le cas d'un calligraphe renommé dont les œuvres les plus parfaites furent exécutées en état d'ivresse. Quant à Li Bai (701-762), le poète le plus célèbre de la dynastie Tang, c'est dans les vapeurs de l'alcool qu'il trouvait le meilleur de son inspiration — laquelle traite d'ailleurs souvent de ce sujet.

Avec un cruchon plein de vin
J'étais assis tout seul
Au milieu des fleurs parfumées.
Je levai mon gobelet, pour demander
* à la Lune*
D'être cette nuit mon invitée.
Je vis alors mon ombre
Et la conviai aussi à nous rejoindre.
Elle, la compagne éternelle…

La plus grande partie des boissons alcoolisées chinoises sont à base de grain. L'alcool existe depuis plus de 10 000 ans et l'on connaît également le vin depuis 7 000 ans, datation qui correspond aux premiers récipients en céramique servant à sa fabrication. Le vin de fruits, en revanche, ne fut inventé que bien plus tard. On raconte d'ailleurs que les singes ne sont pas étrangers à cette invention. Non seulement, en effet, ils aiment les fruits frais, mais ils se délectent également de fruits blets qui commencent à fermenter, ce qui les rend, dit-on, particulièrement gais et exubérants.

Par ailleurs, le premier vin de raisin fut introduit en Chine il y a environ 2 000 ans par la route de la soie. Les boissons les plus appréciées aujourd'hui en Chine sont le vin de riz dit «vin jaune» — dont le meilleur qu'on puisse acheter en Occident provient de Shaoxing, dans la province du Zhejiang —, le vin de

Dans cette maison de thé de Guangzhan, des petits amuse-gueule salés ou sucrés sont proposés aux clients sur des voiturettes à bras.

La cueilleuse de thé prélève soigneusement la récolte, feuille après feuille, sur le théier.

bambou, le vin de pétales parfumés, le vin de roses, le vin de prunes et le vin de serpent — obtenu en faisant macérer un serpent venimeux dans un alcool fort pendant trois ans. On trouve, en outre, de nombreuses variétés d'alcools, tels, par exemple, le mao tai, le gao liang, fabriqué à partir de sorgho, et l'alcool aux cinq céréales. En hiver, l'alcool et le vin de riz sont généralement bus chauds. La bière jouit elle aussi d'une faveur croissante en Chine, mais elle ne procède pas d'une longue tradition. Elle ne fut introduite dans le pays qu'au début du XXe siècle par des brasseurs allemands qui s'étaient établis à Tsingtao (Qing Dao). C'est la bière de cette ville qui est, encore aujourd'hui, la plus réputée; elle possède pratiquement le goût d'une bière

blonde allemande tout à fait classique. Mais, aujourd'hui comme jadis, la boisson chinoise la plus populaire reste le thé. On en consomme toute la journée, chez soi, dans les hôtels et même dans les trains, de préférence dans de hautes tasses coiffées d'un couvercle. Les feuilles de thé tombent au fond de la tasse et le thé reste chaud. On laisse les feuilles infuser un certain temps dans la tasse et l'on rajoute de l'eau chaude lorsque l'on a bu à peu près les deux tiers de l'infusion. Lors de la préparation du thé, l'eau a une importance capitale. Pour faire infuser le thé vert, l'eau ne doit pas bouillir, mais atteindre seulement la température de 80 °C. Un vrai connaisseur jette la première infusion et ne boit que la seconde. L'art du thé n'est pas une

À Pékin, la tradition fait bon ménage avec le monde moderne. Un paysan du Nord se tient accroupi devant une échoppe à sandwiches.

science récente en Chine. Le premier ouvrage consacré au thé fut rédigé en 780 par un spécialiste du nom de Lu Yu. Les origines de la culture du thé sont encore plus anciennes et sont liées à l'histoire du bouddhisme. Pour pouvoir méditer pendant des heures sans s'assoupir en restant parfaitement concentrés, les moines buvaient du thé; ils s'occupèrent donc intensivement de sa culture et de sa diffusion.

Le théier, arbuste à feuilles persistantes, pousse dans 18 des 26 provinces chinoises. Les meilleurs thés sont constitués de feuilles entières et les plus précieuses — et les plus chères — sont celles qui poussent au sommet de la plante. Après cueillette, les feuilles sont roulées, séchées et «rôties». Ce travail, dont dépend essentiellement la qualité du thé, demande une grande expérience et s'effectue traditionnellement à la main, seule façon d'apprécier directement la température optimale.

Les thés chinois sont de 3 types: non fermentés ou verts; fermentés ou noirs; semi-fermentés ou Oolong. Les thés verts sont légers et rafraîchissants, les noirs plus robustes et les Oolong plus subtils. Les thés verts ou noirs peuvent être aromatisés aux fleurs — jasmin ou chrysanthème, par exemple. Le thé chinois le plus connu est le Longjing du Hangzhou.

À l'époque des dynasties impériales, une partie de la récolte de ce thé devait être livrée à la cour sous forme de tribut. Dans la province d'Anhui, sur la montagne Jaune, on cultive le fameux thé «nuages de brume», tandis que dans le Fujian il s'agit du Oolong, auquel on attribue des vertus amaigrissantes car il facilite la digestion et favorise l'élimination des graisses.

Très apprécié en Occident, le Lapsang Souchong, fumé lentement au feu de bois, est assez peu consommé par les Chinois eux-mêmes. Souvent, les étrangers qui voyagent en Chine trouvent que le thé que l'on y boit est bien meilleur que celui qu'ils préparent chez eux et incriminent la qualité de l'eau. En réalité, c'est parce qu'ils ne savent pas bien le préparer. Les meilleurs thés chinois sont, il est vrai, difficiles à se procurer à l'étranger.

Épuisés par leur journée de travail, les porteurs rentrent chez eux.

Les bateaux sont encore amarrés. Peu à peu les pêcheurs arrivent pour se mettre au travail.

PLATS FROIDS

E n Chine, on ne les appelle pas
entrées ou hors-d'œuvre, mais
«plats pour l'alcool», *Jiu cai.*
En effet, on les sert généralement avec
de l'alcool ou du vin de riz et les Chinois
les dégustent toujours avant les plats
à base de riz, ou *Fan cai.*
Même s'il existe quelques entrées
chaudes, on propose presque toujours
uniquement des *Jiu cai* froids. C'est
pourquoi, dans nos recettes, nous nous
sommes limités à des entrées froides qui
sont plus représentatives. Par ailleurs,
ces plats froids sont une solution idéale
quand on ne peut pas tout préparer
au dernier moment et qu'en revanche
on a le temps de cuisiner à l'avance.
En Chine, les convives apprécient tout
particulièrement les assiettes assorties
qui se composent de différentes
préparations. On peut ainsi goûter une
bouchée ici, une bouchée là sans être
trop rapidement rassasié. Les mets
sont souvent présentés sous une forme
décorative et les cuisiniers les plus
habiles métamorphosent les aliments
en papillon ou en grue couronnée.
Finalement, on mange aussi avec les
yeux, et les *Jiu cai,* qui ont leur place
au début du repas, doivent éveiller
la curiosité, exciter l'appétit et tous
les autres sens.

Poisson aux cinq parfums

Nord de la Chine • Facile   **Wu Xiang Xun Yu**

Pour un plat (3 portions):
300 g de filets de truite ou de sole
sel
3 c. à s. de vin de riz
4 ou 5 fines lamelles de gingembre frais
4 gousses d'ail (ou plus, selon votre goût)
2 ou 3 ciboules
1/2 l d'huile végétale pour la friture
2 c. à s. de sauce de soja foncée
1 c. à c. de sucre
1 c. à c. de poudre de cinq-épices
2 c. à s. d'huile de sésame

*Temps de préparation: 30 mn
(+ 30 mn de repos)*

Par portion: 1 800 kJ / 425 kcal

1 Détaillez les filets de poisson en morceaux de 5 cm de long. Mélangez le vin de riz avec un peu de sel, versez-le sur le poisson et laissez reposer le tout pendant 30 minutes environ.

2 Un peu avant la fin du temps de repos, pelez le gingembre et les gousses d'ail, parez et lavez les ciboules. Hachez le tout finement.

3 Mettez à chauffer l'huile dans une cocotte ou un wok. Égouttez et épongez les morceaux de poisson. Faites-les frire dans l'huile bouillante sur feu vif pendant 1 minute environ. Égouttez-les quand ils sont bien dorés.

4 Versez presque toute l'huile et gardez-en 3 c. à s. environ. Ajoutez le gingembre, l'ail et les ciboules hachés. Faites chauffer en remuant sur feu moyen.

5 Mouillez ensuite avec 25 cl d'eau, puis incorporez la sauce de soja, le sucre et le cinq-épices. Mettez les morceaux de poisson dans cette sauce et faites cuire sur feu vif pendant 10 minutes environ, jusqu'à ce que le liquide soit presque entièrement évaporé. Laissez refroidir et servez en arrosant d'huile de sésame.

Note: La poudre de cinq-épices, typique de la cuisine chinoise, se compose de badiane (anis étoilé), de cannelle, de girofle, de poivre et de fenouil; on l'appelle aussi «cinq parfums». En utilisant le pain chinois à la vapeur *(mantou)* ou des petits pains ronds, vous pouvez préparer de délicieux sandwichs au poisson.

Concombre piquant

Pékin • Rapide   **Qiang Huang Gua**

Pour un plat (2 portions):
500 g de petits concombres
4 piments séchés
4 c. à s. d'huile de sésame
20 grains de poivre du Sichuan
sel

Temps de préparation: 20 mn

Par portion: 880 kJ / 210 kcal

1 Lavez soigneusement les concombres et coupez-les en deux dans la longueur. Retirez les graines, puis détaillez les concombres en minces languettes de 6 cm de long. Coupez les piments en deux (ensuite, lavez-vous les mains et surtout ne vous frottez pas les yeux!).

2 Faites chauffer l'huile de sésame dans une poêle ou un wok. Mettez-y les grains de poivre et les piments. Faites-les rissoler sur feu vif jusqu'à ce que l'odeur s'en dégage. Retirez le poivre.

3 Mettez les languettes de concombre dans l'huile et faites-les revenir pendant environ 2 minutes sur feu vif. Salez à votre goût, versez dans un plat et laissez refroidir.

Note: Le concombre est toujours meilleur quand on a retiré les graines. Une fois qu'il est coupé en deux dans la longueur, vous pouvez très facilement éliminer les graines en les grattant avec une petite cuillère.

Rouleaux en feu d'artifice

Pékin • Assez long Bao Zhu Ji

Pour 18 rouleaux:
250 g de blancs de volaille
100 g de jambon fumé cru, en fines tranches
1 ou 2 bottillons de ciboules (ou à défaut un blanc de poireau)
2 c. à s. de sauce de soja claire
1 c. à c. de sucre
1 c. à c. de poivre du Sichuan fraîchement moulu
250 g environ de poitrine de porc maigre, découennée et sans cartilages
2 œufs
3 c. à s. de fécule
sel
40 cl d'huile de friture

Temps de préparation: 45 mn

Par rouleau: 630 kJ / 150 kcal

1 Détaillez les blancs de volaille en minces carrés de 8 cm de côté et le jambon en minces languettes de 10 cm de long environ. Détaillez la poitrine de porc en 18 tranches carrées de 8 cm de côté.

2 Lavez les ciboules et épongez-les; s'il s'agit de poireau, lavez-le et détaillez-le en minces rubans de 15 cm de long.

3 Mélangez la sauce de soja, le sucre et le poivre. Badigeonnez de cette sauce les blancs de volaille et la poitrine de porc.

4 Mettez les tranches de poitrine de porc à plat et posez une tranche de blanc de volaille sur chacune d'entre elles. Posez ensuite par-dessus, mais dans l'autre sens, les tranches de jambon de sorte qu'elles dépassent à un bout. Roulez très serré.

5 Liez les rouleaux juste en dessous des deux bouts avec 2 ou 3 tiges de ciboule ou des rubans de poireau.

6 Cassez les œufs en séparant les blancs des jaunes. Mélangez les blancs avec la fécule en ajoutant un peu de sel. Vous devez obtenir une pâte visqueuse, pas trop épaisse.

7 Faites chauffer l'huile dans une sauteuse ou un wok. Passez les rouleaux dans la pâte au blanc d'œuf et faites-les frire jusqu'à ce que le blanc d'œuf

durcisse. Égouttez-les, puis refaites-les frire rapidement une deuxième fois. Égouttez-les à nouveau.

8 Battez les jaunes avec un peu de sel. Versez-les en spirale en un mince filet dans l'huile brûlante et faites-les cuire rapidement. Quand ils sont bien pris, égouttez-les et épongez-les.

9 Disposez les rouleaux en étoile sur un plat (avec les «flammèches» vers l'extérieur). Répartissez les fleurs de jaune d'œuf au milieu.

Note: Pour faire partir un feu d'artifice, il faut bien entendu de la poudre. Il s'agit là d'une invention des Chinois, au même titre d'ailleurs que le papier, le compas et l'imprimerie. La poudre fut inventée au début de la dynastie Han (206 av. J.-C. -24 apr. J.-C.). À l'origine, on allumait des feux d'artifice au moment du Nouvel An pour chasser les mauvais esprits.

Germes de soja aux œufs

Origine imprécise • Facile **Dou Ya Ban Dan Pi**

Pour un plat (3 portions):
250 g de germes de soja (haricots mungo)
3 œufs
2 c. à s. d'huile
2 c. à s. de sauce de soja claire
1 c. à s. d'huile de sésame
sel
poivre blanc fraîchement moulu

Temps de préparation: 25 mn

Par portion: 1 065 kJ / 255 kcal

1 Remplissez une casserole d'eau et portez à ébullition. Pendant ce temps, lavez les germes de soja et éliminez éventuellement les extrémités brunes. Plongez-les dans l'eau bouillante et faites-les blanchir pendant 2 minutes. Rafraîchissez-les à l'eau froide et égouttez-les à fond.

2 Battez les œufs. Badigeonnez d'huile le fond d'une poêle et faites-la chauffer sur feu doux. Versez environ le tiers des œufs battus dans la poêle et répartissez-les en une couche très mince en penchant la poêle d'avant en arrière. Laissez cuire sans remuer jusqu'à ce que le dessus soit doré. Cette cuisson prend environ 2 minutes. Faites cuire le reste des œufs de la même façon.

3 Laissez refroidir les omelettes plates, puis roulez-les ou repliez-les et détaillez-les en rubans minces comme des nouilles.

4 Disposez-les dans un plat et mettez les germes de soja sur le dessus. Mélangez la sauce de soja et l'huile de sésame, salez et poivrez. Arrosez le plat de cette sauce.

Note: La meilleure solution pour faire blanchir des légumes consiste à les mettre dans une passoire à manche assez long et à plonger celle-ci dans l'eau bouillante. Pour décorer le plat, servez-vous de ciboules émincées en n'utilisant que la partie verte. Si vous appréciez l'ail, vous pouvez en ajouter une pointe dans la sauce.

Vermicelles aux épinards

Origine imprécise • Facile   **Bo Cai Ban Fen Si**

Pour un plat (2 portions):
25 g de crabe séché
300 g d'épinards
75 g de vermicelles transparents
sel
2 ou 3 gousses d'ail
1 c. à c. d'huile pimentée (facultatif)
1 ou 2 c. à s. de vinaigre brun
1 ou 2 c. à c. de moutarde forte à gros grains

Temps de préparation: 40 mn

Par portion: 820 kJ / 200 kcal

1 Mettez le crabe séché dans un bol, couvrez d'eau chaude et laissez gonfler 15 minutes. Pendant ce temps, mettez de l'eau à bouillir dans un faitout.

2 Nettoyez les épinards, lavez-les et faites-les blanchir pendant 1 minutes à l'eau bouillante. Rafraîchissez-les aussitôt, égouttez-les et pressez-les pour éliminer le maximum d'eau. Détaillez-les ensuite en rubans de 3 cm de long. Effilochez-les avec une fourchette et tapissez-en un plat de service.

3 Remplissez à nouveau le faitout d'eau et portez à ébullition. Ramollissez les vermicelles pendant 5 minutes dans un bol d'eau chaude, puis faites-les cuire à l'eau bouillante pendant 2 minutes environ. Rafraîchissez-les à l'eau froide et égouttez-les à fond. Salez-les légèrement.

4 Égouttez la chair de crabe et hachez-la menu. Pelez les gousses d'ail et émincez-les finement.

5 Coupez les vermicelles avec des ciseaux en tronçons de 10 cm environ. Disposez-les sur les épinards en laissant apparaître du vert sur le pourtour. Disposez le crabe sur les vermicelles en laissant voir une frange de ceux-ci sur le bord. Disposez l'ail haché juste au milieu.

6 Mélangez dans un bol l'huile pimentée, le vinaigre et la moutarde. Arrosez-en la salade au moment de servir.

Note: Le vinaigre chinois est fabriqué avec du vin de riz; il est plus doux que notre vinaigre de vin. Si vous ne trouvez pas de vinaigre de vin de riz, utilisez du vinaigre balsamique italien en lui ajoutant une pointe de sauce de soja claire.

Omelettes du bonheur

Nord de la Chine • Se mange tiède   Ru Yi Dan Juan

Pour un plat (4 portions):
3 œufs
2 c. à s. d'huile végétale
1 tronçon de poireau (de 2 à 3 cm de long)
1 poignée d'épinards (20 g environ)
2 fines tranches de gingembre frais
200 g de crevettes crues
15 g de jambon cuit (une tranche fine)
1 c. à c. de vin de riz
sel
1 c. à c. de fécule
1 c. à s. d'huile de sésame

Temps de préparation: 45 mn

Par portion: 2 100 kJ / 500 kcal

1 Cassez 1 œuf et séparez le blanc du jaune. Mettez le blanc de côté et battez ensemble le jaune et les 2 autres œufs.

2 Faites chauffer 1 c. à s. d'huile dans une poêle. Versez-y la moitié des œufs battus, étalez-les en faisant pivoter la poêle et laissez prendre sur feu doux. Retirez du feu et versez sur une assiette. Faites cuire le reste des œufs de la même façon pour obtenir une seconde omelette.

3 Pour la farce, lavez les épinards et le poireau. Pelez le gingembre. Décortiquez les crevettes à cru et hachez-les finement. Hachez également le jambon, le gingembre, le poireau et les épinards. Mélangez tous ces ingrédients et incorporez à la farce le blanc d'œuf et le vin de riz pour la lier. Salez.

4 Poudrez légèrement les deux omelettes plates de fécule, puis étalez la farce par-dessus. Roulez les omelettes farcies de l'extérieur vers l'intérieur, de sorte que les rouleaux se rencontrent au milieu.

5 Mettez ces derniers sur une assiette. Versez 4 cm d'eau dans un faitout, posez une tasse renversée dedans et portez l'eau à ébullition. Posez l'assiette sur la tasse renversée et couvrez. Faites cuire de 7 à 8 minutes à la vapeur sur feu moyen.

6 Laissez refroidir légèrement les rouleaux farcis, puis découpez-les en tronçons de 1 cm. Disposez-les sur une assiette, face coupée dessus. Arrosez-les d'huile de sésame avant de servir.

Note: La forme de ces omelettes farcies résulte en Chine d'une longue tradition. Le symbole du bonheur, *Ruyi*, possède en effet cette même forme: on l'utilise également comme motif décoratif pour les tissus de soie ou en architecture. Jadis, on en ornait aussi les chaussures.

Radis à l'aigre-doux

Nord de la Chine • Rapide   Suan La Luo Bo

Pour un plat (2 portions):
300 g de radis blanc (daikon)
1 grosse carotte • sel
3 fines tranches de gingembre frais
1 c. à s. de sucre
1 c. à s. de vinaigre brun
1 c. à s. de sauce de soja claire
3 c. à s. d'huile d'arachide
3 piments rouges séchés
2 ou 3 c. à s. d'huile de sésame

Temps de préparation: 25 mn

Par portion: 1 200 kJ / 290 kcal

1 Pelez le radis et la carotte, puis détaillez-les en minces lamelles dans le sens de la longueur avec un couteau économe. Retaillez ces lamelles en languettes.

2 Salez-les et laissez-les dégorger. Rincez-les ensuite à l'eau froide, puis égouttez-les et épongez-les. Mettez-les dans une coupe.

3 Pelez le gingembre et émincez-le. Mélangez le sucre, le vinaigre, la sauce de soja et le gingembre. Versez cette sauce sur les languettes de légumes.

4 Faites chauffer l'huile d'arachide dans une poêle ou un wok. Mettez-y les piments et faites-les rissoler sur feu moyennement fort. Quand ils sont rouge foncé, retirez-les et versez aussitôt l'huile brûlante sur les légumes.

5 Couvrez le plat et laissez reposer environ 10 minutes. Arrosez d'huile de sésame juste avant de servir.

Salade de poulet

Sichuan • Très facile **Bang Bang Ji**

Pour un plat (2 portions):
250 g de blanc de poulet cru,
sans peau ni os
2 ciboules
2 c. à s. de pâte de sésame
(magasins de produits diététiques)
ou de beurre de cacahuète
1 c. à c. de sucre
1 1/2 c. à s. de sauce de soja foncée
1 pointe de poivre du Sichuan
fraîchement moulu
1 c. à c. d'huile pimentée
1 c. à s. d'huile de sésame

Temps de préparation: 40 mn

Par portion: 1 500 kJ / 360 kcal

1 Mettez le blanc de poulet dans une casserole, ajoutez 50 cl d'eau et portez à frémissement. Faites-le cuire de 10 à 15 minutes. Égouttez-le et laissez-le refroidir.

2 Aplatissez le blanc de volaille avec un maillet ou un rouleau à pâtisserie pour en écraser les fibres, puis effilochez-le en suivant les fibres et disposez-la sur un plat de service.

3 N'utilisez que le blanc des ciboules; lavez-les et détaillez-les en très minces rondelles. Disposez-les autour du blanc de volaille sur le plat de service.

4 Mélangez à part la pâte de sésame, le sucre, la sauce de soja, le poivre du Sichuan et les deux variétés d'huile.

Incorporez à ce mélange de 2 à 4 c. à s. d'eau en fouettant jusqu'à ce que la sauce prenne la consistance d'une mayonnaise. Versez cette sauce sur le blanc de poulet, au milieu, et mélangez au moment de servir.

Variante: Vous pouvez tapisser le plat de concombre avant d'y mettre le blanc de poulet. Dans ce cas, lavez le concombre et coupez-le en deux dans la longueur. Retirez les graines et détaillez la chair en longues languettes. Poudrez-les de sel et laissez-les dégorger, puis égouttez-les, épongez-les et tapissez-en le plat en partant du milieu.

Note: La traduction littérale du nom de ce plat est «poulet au bâton» parce que la chair est aplatie en étant battue.

Les huiles

La cuisine chinoise utilise largement les huiles végétales neutres de goût car, ces dernières, qui supportent de fortes températures, conviennent bien pour le sauté et la friture. Ce sont les huiles de tournesol et d'arachide qui sont le plus souvent employées. L'huile d'olive ne convient pas, car son arôme est trop nettement marqué.

À côté de ces huiles «neutres», on a également recours à l'huile de sésame et à l'huile pimentée, qui servent plutôt d'assaisonnement ou de condiment. Le sésame est une graine oléagineuse connue depuis plus de 4 000 ans. Fabriquée à partir de graines claires ou foncées, l'huile de sésame possède une saveur très forte. En Chine, c'est un produit coûteux que l'on utilise avec parcimonie, en touche finale. L'huile pimentée sert à la fois de condiment servi, à part, ou d'assaisonnement dans une sauce. Son arôme et son piquant dépendent bien sûr des ingrédients complémentaires qui y macèrent: outre le piment, du gingembre, des ciboules, du céleri, du poivre du Sichuan, etc. Les piments étant plus ou moins forts, même s'il s'agit d'une seule variété, il convient d'utiliser l'huile pimentée avec une certaine prudence.

En Chine, on vend des beignets frits dans l'huile au coin des rues.

Crevettes cristal

Pékin • À préparer à l'avance

Shui Jing Xia Pian

Pour un plat (2 ou 3 portions):
500 g de grosses crevettes crues
1 1/2 c. à s. de fécule
1 ciboule
30 g de pousses de bambou
30 g de champignons shiitake frais
10 cl de bouillon de volaille (ou d'eau)
1 c. à s. de vin de riz
2 c. à s. d'huile de sésame
1/2 c. à c. de poivre blanc fraîchement moulu
sel
1 blanc d'œuf

Temps de préparation: 45 mn

Par portion (pour 3):
1 400 kJ / 330 kcal

1 Décortiquez les crevettes à cru. Lavez-les, épongez-les et roulez-les dans la fécule. Aplatissez-les ensuite légèrement avec un rouleau à pâtisserie.

2 Débarrassez la ciboule des parties vert foncé, lavez-la et hachez-la finement. Hachez également les pousses de bambou. Nettoyez les champignons.

3 Pour la sauce, versez le bouillon (ou l'eau) dans une casserole et portez à ébullition. Ajoutez le vin de riz, l'huile de sésame, le sel et le poivre. Versez-y la ciboule et les pousses de bambou, mélangez et retirez du feu.

4 Faites bouillir 50 cl d'eau dans une casserole. Passez les crevettes dans le blanc d'œuf et faites-les cuire dans l'eau bouillante de 1 à 2 minutes selon leur taille. Faites blanchir les champignons à l'eau bouillante dans une autre casserole pendant 1 minute. Égouttez à fond les crevettes et les champignons. Détaillez les champignons en lamelles et les crevettes en tranches de 5 mm.

5 Réchauffez rapidement la sauce. Disposez les champignons et les crevettes en cercles concentriques dans un plat. Arrosez-les de sauce.

Variante: Liez la sauce avec 1 c. à c. de fécule délayée dans 2 c. à s. d'eau et portez rapidement à ébullition. Disposez des feuilles de coriandre dans le fond d'un moule, puis les champignons et les crevettes. Couvrez de sauce, faites prendre au réfrigérateur et démoulez.

Tofu aux ciboules

Nord de la Chine • Rapide

Xiao Cong Ban Dou Fu

Pour un plat (3 portions):
1 paquet de tofu instantané (ou 250 g de tofu prêt à l'emploi)
2 ciboules
3 ou 4 c. à s. d'huile de sésame
sel

Temps de préparation: 15 mn (+ 30 mn de repos)

Par portion: 735 kJ/175 kcal

1 Versez, dans une casserole, 60 cl d'eau. Portez à ébullition. Ajoutez la poudre de tofu (grand paquet). Remuez avec un fouet. Faites cuire en continuant à remuer pendant 3 ou 4 minutes.

2 Retirez la casserole du feu. Incorporez la présure (petit paquet) et versez le tofu dans une coupe. Laissez reposer pendant 30 minutes, jusqu'à ce que le tofu soit bien pris.

3 Débarrassez les ciboules des parties vert foncé et des racines. Lavez-les et détaillez-les en minces tranches.

4 Découpez le tofu en cubes et mettez-les dans une coupe de service. Ajoutez sur le dessus les rondelles de ciboule.

5 Mélangez l'huile de sésame et le sel, versez cette sauce sur le tofu.

Note: En chinois, ce plat s'appelle littéralement «vert et blanc», expression qui signifie également «être innocent». En Chine, on dit d'un homme honnête et intègre qu'il est «tofu à la ciboule». Quelques gouttes d'huile pimentée ajoutent une note agréablement relevée à l'huile de sésame.

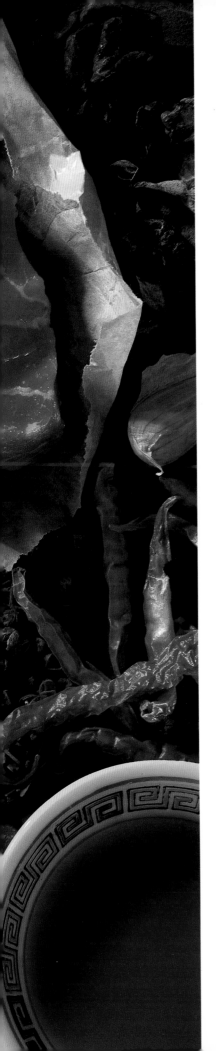

VIANDE
ET VOLAILLE

Parmi toutes les viandes, c'est le porc qui, en Chine, figure le plus souvent au menu. Ce n'est pas seulement pour son goût qu'il est si apprécié, mais aussi parce qu'il permet d'imaginer des préparations très diverses en variant à l'infini les ingrédients complémentaires. Jadis, les Chinois mangeaient peu de bœuf car ce bétail constituait un cheptel de bêtes de trait et de somme très utiles chez ce peuple de paysans. Ce n'est qu'assez récemment que le bœuf, en général accompagné de légumes, a pris une certaine importance en cuisine. L'agneau était traditionnellement une viande réservée aux populations musulmanes qui ne consomment pas de porc. Aujourd'hui, l'agneau reste encore rare en Chine. Outre le porc, les Chinois apprécient tout particulièrement le poulet. Ce volatile non seulement possède une saveur et une finesse remarquables mais constitue un aliment très sain. La plupart des volailles sont vendues vivantes, ce qui offre une garantie de fraîcheur indéniable. Bien d'autres viandes sont excellentes en Chine dans la mesure où l'élevage intensif est pratiquement inconnu. Le canard, enfin, constitue généralement un mets d'exception et se sert traditionnellement lors des fêtes, car sa préparation est assez longue et exige une certaine dextérité.

Bœuf au radis

Origine imprécise • Rapide **Luo Bo Niu Rou Si**

Pour un plat (2 portions):
200 g de filet de bœuf
sel
1 c. à c. de fécule délayée dans
2 c. à s. d'eau
150 g de radis blanc (daikon)
15 g de ciboulette chinoise ou
d'ail nouveau
2 ou 3 tranches de gingembre frais
1 c. à s. de sauce de soja claire
4 c. à s. de bouillon de bœuf ou d'eau
4 ou 5 c. à s. d'huile d'arachide
1 pointe de poivre du Sichuan
fraîchement moulu

Temps de préparation: 30 mn

Par portion: 1 200 kJ / 290 kcal

1 Rincez la viande à l'eau froide et épongez-la. Détaillez-la en minces tranches de 4 cm de large environ. Salez-les et ajoutez, en mélangeant, un tiers de la fécule délayée.

2 Pelez le radis et détaillez-le en bâtonnets de 4 cm de long. Lavez la ciboulette et coupez-la en segments de 4 cm de long. Si vous utilisez de l'ail nouveau, pelez-le et émincez-le finement. Pelez et hachez le gingembre. Mélangez la sauce de soja avec le reste de fécule délayée et le bouillon ou l'eau.

3 Faites chauffer 2 c. à s. d'huile dans une poêle ou un wok. Ajoutez les languettes de radis et faites-les sauter sur feu vif pendant 1 minute en remuant, puis retirez-les.

4 Faites chauffer le reste d'huile. Ajoutez les languettes de viande et faites-les sauter en remuant sur feu vif pendant 1 minute. Ajoutez le gingembre, la ciboulette (ou l'ail) et le radis, puis faites sauter le tout vivement. Incorporez la sauce et portez à ébullition en mélangeant délicatement.

5 Salez la viande, répartissez la préparation sur des assiettes de service et poudrez de poivre du Sichuan.

Variante: Ce plat est également excellent en remplaçant le radis par du poivron vert ou de l'oignon émincé. Vous pouvez ajouter dans la sauce un peu de pâte de haricots de soja salée (*Tian Mian Jiang*, en vente dans les magasins de produits exotiques).

Note: Pour pulvériser le poivre du Sichuan, servez-vous de votre robot ménager. Vous pouvez en moudre une assez grande quantité à l'avance et le conserver dans un flacon en verre hermétiquement fermé, mais ce poivre est incomparable si vous l'utilisez fraîchement moulu.

Bœuf au céleri

Nord de la Chine • Facile

Gan Bian Niu Rou Si

Pour un plat (2 portions):
250 g de filet de bœuf
100 g de côtes de céleri bien tendre
5 ou 6 tranches de gingembre frais
4 c. à s. d'huile d'arachide
sel
3 c. à s. de vin de riz
2 c. à s. de pâte de haricots de soja piquante
1/2 c. à c. de sucre
1 pointe de poivre du Sichuan fraîchement moulu

Temps de préparation: 25 mn

Par portion: 2 000 kJ / 480 kcal

1 Rincez la viande à l'eau froide, épongez-la et détaillez-la en minces languettes de 3 cm de long environ. Lavez le céleri, parez-le et retirez les feuilles. Si les branches sont très grosses, retaillez-les en deux ou en trois dans la longueur, puis recoupez-les en tronçons de 3 cm. Pelez le gingembre et émincez-le finement.

2 Faites chauffer l'huile dans une poêle ou un wok. Ajoutez les languettes de viande et faites-les saisir sur feu vif en les remuant. Salez, ajoutez le vin de riz et le gingembre. Poursuivez la cuisson jusqu'à ce que la viande soit bien dorée.

3 Incorporez la pâte de haricots de soja et mélangez rapidement. Ajoutez ensuite les tronçons de céleri et poursuivez la cuisson en remuant pendant 3 minutes, jusqu'à ce que le céleri soit cuit mais encore croquant.

4 Ajoutez le sucre, mélangez et répartissez la préparation sur des assiettes de service. Poudrez de poivre du Sichuan.

Note: Ce plat s'appelle littéralement «viande cuite à sec», car la préparation ne comporte pas de sauce. Cette recette est également excellente accompagnée de graines de sésame. Pour ce faire, mettez le sésame dans une poêle et faites-le griller à sec sur feu vif en remuant constamment jusqu'à ce qu'il dégage son parfum et se colore en brun. Vous pouvez parsemer le plat de sésame grillé juste avant de servir ou proposer les graines à part, dans une coupelle, comme condiment pour que chacun se serve à son goût.

Bœuf à la tomate

Origine imprécise • Facile

Fan Qie Niu Rou

Pour un plat (2 portions):
250 g de filet de bœuf
100 g de tomates olivettes
1 ciboule
4 fines tranches de gingembre frais
4 c. à s. d'huile d'arachide
1 capsule de badiane (anis étoilé)
3 c. à c. de sucre
sel
1 c. à c. de fécule délayée dans
2 c. à s. d'eau
1 ou 2 c. à s. d'huile de sésame

Temps de préparation: 20 mn
(+ 25 mn de cuisson)

Par portion: 2 100 kJ / 500 kcal

1 Rincez la viande à l'eau froide et mettez-la dans une casserole, couvrez d'eau et portez à frémissement. Faites cuire la viande à couvert sur feu moyen pendant 25 minutes, jusqu'à ce qu'elle puisse être transpercée facilement par une aiguille. Égouttez-la et laissez-la refroidir légèrement. Mesurez 10 cl du liquide de cuisson et réservez-le.

2 Détaillez la viande en morceaux de 4 cm de long, 3 cm de large et 1 cm d'épaisseur. Lavez les tomates et coupez-les en deux dans la longueur, puis retaillez-les en tranches de 1 cm d'épaisseur. Lavez la ciboule, parez-la et coupez-la en deux morceaux de 3 cm de long. Pelez le gingembre.

3 Faites chauffer l'huile dans une poêle ou un wok. Ajoutez la badiane et faites-la revenir en remuant jusqu'à ce qu'elle dégage son parfum. Ajoutez la ciboule et le gingembre. Faites revenir le tout en remuant sur feu moyen pendant 1/2 minute. Mouillez avec le bouillon et portez à ébullition. Ajoutez la viande et poursuivez la cuisson pendant 5 minutes.

4 Retirez le gingembre, la ciboule et l'anis. Substituez-leur les tomates, le sucre et le sel. Incorporez la fécule délayée et portez à nouveau à ébullition pour faire épaissir la sauce. Arrosez d'huile de sésame et servez.

Variante: En Chine, on apprécie aussi ce plat accompagné de pommes de terre. Celles-ci doivent cuire à part. Ensuite, vous les pelez, vous les coupez en cubes et vous les ajoutez à la viande déjà garnie de tomates.

La fécule

La fécule est un des ingrédients de base de la cuisine chinoise. On l'obtient à partir de pomme de terre ou de légumineuses, mais c'est la fécule de pomme de terre qui est la plus courante. Les morceaux de poisson y sont souvent roulés avant d'être sautés à la poêle, ce qui préserve leur finesse tout en donnant une préparation délicate et parfumée. On utilise également la fécule pour lier et épaissir les sauces. Dans ce cas, il faut surveiller attentivement la cuisson, sinon la sauce risque de devenir trop épaisse. La fécule intervient également dans la préparation des pâtisseries ou sucreries: on utilise alors de la fécule de maïs, qui est moins collante que les

De la fécule enveloppe ces friandises à la pâte de graines de lotus.

autres fécules. La pâte transparente dans laquelle on enveloppe souvent les sucreries est confectionnée avec un mélange de saindoux, de fécule de maïs et d'eau chaude. Pour étaler la pâte, les Chinois n'utilisent pas de rouleau à pâtisserie, mais ils se servent du plat d'un couperet de cuisine.

Bœuf à la sauce d'huître

Province de Canton • Cuisine raffinée **Hao You Niu Rou**

Pour un plat (2 portions):
250 g de filet de bœuf
1 c. à c. de fécule délayée dans
2 c. à s. d'eau
2 ciboules
1 fine tranche de gingembre frais
2 gousses d'ail
4 c. à s. d'huile d'arachide
25 g de noix de cajou
1 c. à s. de sauce de soja foncée
2 c. à s. de sauce d'huître
1 c. à c. d'huile de sésame

Temps de préparation: 25 mn

Par portion: 1 900 kJ / 450 kcal

1 Rincez la viande à l'eau froide, épongez-la et découpez-la en languettes de 3 à 4 cm de long sur 5 mm d'épaisseur. Mélangez-les avec un tiers de la fécule délayée.

2 Lavez les ciboules et coupez-les en tronçons de 3 à 4 cm de long. Recoupez les morceaux les plus gros en deux dans l'épaisseur. Pelez et hachez finement le gingembre et l'ail.

3 Faites chauffer 2 c. à s. d'huile dans une poêle ou un wok. Mettez-y les languettes de viande et saisissez-les sur feu vif, en remuant, pour les colorer uniformément. Retirez-les de la poêle.

4 Rajoutez 2 c. à s. d'huile dans la poêle ou le wok. Faites rissoler les ciboules, l'ail et le gingembre sur feu vif en les

remuant à la spatule jusqu'à ce que le mélange dégage un parfum agréable. Ajoutez les noix de cajou et poursuivez la cuisson en remuant pendant 1 minute.

5 Remettez la viande dans la poêle en ajoutant la sauce d'huître et la sauce de soja. Faites réchauffer le tout en versant le reste de fécule délayée et portez à ébullition. Versez la préparation dans un plat et arrosez d'huile de sésame.

Variante: Ce plat est aussi délicieux avec des cuisses de poulet que l'on coupe en morceaux avant cuisson. Dans ce cas, les noix de cajou sont laissées de côté. Rajoutez une tasse d'eau pour faire mijoter les morceaux de poulet, 15 minutes environ (on doit pouvoir les percer facilement avec une aiguille), et terminez la cuisson sur feu vif.

Nord de la Chine • Plat de fête

Agneau au poireau

Cong Liu Yang Li Ji

Pour un plat (2 portions):
250 g de gigot d'agneau sans os
250 g de petits poireaux
2 ou 3 gousses d'ail
30 g de pousses de bambou
1 blanc d'œuf
1 c. à s. de vin de riz
sel
1 c. à c. de fécule délayée dans
2 c. à s. d'eau
40 cl d'huile d'arachide
1 c. à s. de sauce de soja claire
1 c. à s. d'huile de sésame

Temps de préparation: 30 mn

Par portion: 3 000 kJ / 710 kcal

1 Rincez la viande à l'eau froide, épongez-la et retirez les tendons éventuels. Détaillez-la ensuite en minces tranches de 4 cm de long sur 2 cm de large. Lavez les poireaux, parez-les et ôtez le vert. Coupez-les ensuite en tronçons obliques de 1 cm de large. Pelez les gousses d'ail et coupez-les en lamelles. Détaillez les pousses de bambou en languettes.

2 Mélangez dans un bol le blanc d'œuf, le vin de riz, un peu de sel, la moitié de la fécule délayée et 1 c. à s. d'huile. Versez cette préparation sur les tranches de viande et réservez.

3 Mélangez à part la sauce de soja, le reste de fécule délayée et 3 c. à s. d'eau.

4 Faites chauffer le reste d'huile dans une cocotte ou un grand wok. Elle est à bonne température lorsque de petites bulles montent le long d'une baguette en bois plongée dedans. Versez-y la viande et faites-la frire pendant 2 minutes. Retirez-la et égouttez-la. Récupérez le jus qui aura coulé.

5 Gardez seulement 2 c. à s. d'huile dans le récipient de cuisson. Mettez-y l'ail et faites-le rissoler sur feu vif en remuant jusqu'à ce qu'il dégage son parfum. Ajoutez alors les poireaux et les pousses de bambou. Faites cuire pendant 2 minutes en remuant sans cesse. Rajoutez la viande en incorporant la sauce de soja délayée et le jus de viande. Arrosez d'huile de sésame et servez.

Porc à l'aigre-doux

Province de Canton • Facile   **Fan Qie Gu Lao Rou**

Pour un plat (2 portions):
150 g de filet de porc
2 1/2 c. à c. de fécule délayée
dans 1 1/2 c. à s. d'eau
sel • 1 œuf • 1 ciboule
3 gousses d'ail
40 cl d'huile d'arachide
3 c. à s. de coulis de tomate
2 c. à s. de bouillon de bœuf ou d'eau
de 3 à 5 c. à s. de sucre
2 c. à s. de vinaigre clair

Temps de préparation: 30 mn

Par portion: 2 900 kJ / 690 kcal

1 Rincez la viande à l'eau froide, épongez-la et détaillez-la en morceaux réguliers d'environ 4 × 1,5 × 1 cm.

2 Mélangez dans un bol la fécule délayée, le sel et l'œuf. Versez cette préparation sur les morceaux de viande et remuez.

3 Lavez la ciboule, pelez l'ail, émincez le tout finement.

4 Faites chauffer l'huile dans une grande poêle ou un wok. Faites-y frire les morceaux de viande par groupe de 2 ou 3 pendant 3 minutes chacun, jusqu'à ce que l'enrobage soit bien doré.

5 Jetez presque toute l'huile de cuisson. Remettez la poêle sur le feu et ajoutez la ciboule et l'ail. Faites revenir le mélange en remuant jusqu'à ce qu'une odeur agréable s'en dégage. Ajoutez alors le bouillon (ou l'eau) et le coulis de tomate, puis le sucre et le vinaigre. Remuez sans arrêt, salez au goût et poursuivez la cuisson jusqu'à épaississement de la sauce.

6 Remettez les morceaux de viande dans la sauce, mélangez et servez aussitôt pour qu'ils restent croustillants.

Porc au parfum de poisson

Pékin • Raffiné   **Yu Xiang Rou Si**

Pour un plat (2 portions):
25 g de champignons séchés
150 g de filet de porc
1 blanc d'œuf • 2 1/2 c. à s. de fécule
délayée dans 4 c. à s. d'eau
sel
25 g de poivrons rouge et vert
1 ciboule
3 tranches de gingembre frais
5 c. à s. d'huile d'arachide
1 c. à s. de vin de riz
4 c. à c. de sucre
1 c. à s. de vinaigre brun
1 1/2 c. à s. de sauce de soja foncée
25 g de pousses de bambou
1 c. à s. d'huile pimentée

Temps de préparation: 35 mn

Par portion: 2 200 kJ / 520 kcal

1 Mettez les champignons dans un bol d'eau très chaude et laissez-les tremper pendant 20 minutes. Pendant ce temps, rincez la viande, épongez-la et détaillez-la en fines languettes de 5 cm de long. Mélangez le blanc d'œuf avec 1 c. à s. de fécule délayée et un peu de sel. Versez cette préparation sur les languettes de viande et remuez-les.

2 Lavez les poivrons et détaillez-les en lanières. Lavez la ciboule, pelez le gingembre et hachez-les finement.

3 Faites chauffer l'huile dans une poêle ou un wok sur feu moyen. Mettez-y les morceaux de viande et faites-les cuire, en remuant, juste le temps qu'il faut pour faire coaguler le blanc d'œuf qui les enrobe. Égouttez-les.

4 Mélangez dans un bol le vin de riz, le sucre, le sel, le vinaigre, la sauce de soja et 1 1/2 c. à s. de fécule délayée. Égouttez les champignons, retirez-en les queues et émincez-les en fins bâtonnets. Émincez de même les pousses de bambou.

5 Faites chauffer l'huile pimentée dans une poêle ou un wok. Mettez-y les poivrons, les champignons, les pousses de bambou, la ciboule et le gingembre. Faites cuire en remuant sans cesse sur feu vif de 1 à 2 minutes. Ajoutez enfin les morceaux de viande et mélangez.

6 Incorporez la sauce et faites chauffer doucement jusqu'à bonne consistance. Salez à votre goût. Rajoutez éventuellement un peu de liquide (eau).

Petites boulettes farcies

Province du Hubei • Raffiné Zhen Zhu Rou Yuan

Pour un plat (3 portions):
200 g de riz gluant
100 g de châtaignes d'eau
3 minces tranches de
gingembre frais
400 g de viande de porc hachée
1 c. à s. de vin de riz
sel
1 c. à s. de fécule délayée dans
2 c. à s. d'eau

5 ou 6 feuilles de chou chinois

Temps de préparation: 1 h

Par portion: 3 065 kJ / 735 kcal

1 Portez à ébullition une bonne quantité d'eau dans une grande marmite. Lavez le riz dans une passoire, puis faites-le blanchir pendant 2 minutes à l'eau bouillante. Égouttez-le dans la passoire.

2 Hachez menu les châtaignes d'eau. Pelez le gingembre et émincez-le finement.

3 Mettez la viande dans une terrine, ajoutez le vin de riz, du sel, le gingembre, les châtaignes et la fécule délayée. Mélangez intimement en remuant toujours dans le même sens jusqu'à ce que la farce soit bien homogène.

4 Façonnez cette farce en boulettes de la taille d'une châtaigne. Versez le riz dans un grand plat creux et roulez-y les boulettes pour les enrober.

5 Lavez les feuilles de chou et retirez éventuellement les grosses côtes. Prenez un grand plat résistant à la chaleur et tapissez-le de feuilles de chou, puis rangez les boulettes sur le dessus.

6 Posez une tasse à l'envers dans le fond d'une grande marmite ou d'une cocotte. Versez-y de l'eau sur 3 cm de hauteur. Posez le plat sur la tasse renversée et couvrez la marmite. Faites cuire à la vapeur sur feu moyen pendant 15 minutes jusqu'à ce que le riz soit bien tendre. (La meilleure solution est d'utiliser un cuiseur à vapeur chinois en bambou — d'ailleurs très décoratif.)

7 Servez les boulettes dès qu'elles sont cuites, sinon le riz durcit à nouveau.

Note: les boulettes farcies constituent un excellent plat de résistance, mais vous pouvez aussi les proposer en entrée chaude pour un repas de fête.

Cuire à la vapeur

Ce mode de cuisson est très répandu dans la cuisine chinoise. Selon cette technique, les aliments sont exposés à la vapeur brûlante qui se dégage de l'eau, sans entrer en contact avec le liquide lui-même. Comme la chaleur est intense et que le temps de cuisson reste court, l'arôme, la couleur, le goût et les vitamines sont parfaitement préservés. Les cuiseurs à vapeur chinois en bambou à plusieurs étages existent dans toutes les tailles, depuis les petits modèles de 15 cm jusqu'à ceux qui atteignent 1 mètre de diamètre. On remplit les différents paniers de divers ingrédients, puis on pose l'échafaudage ainsi constitué sur

Dans une maison de thé, on propose des petits plats cuits à la vapeur.

une casserole emplie d'eau bouillante. Ce procédé est très supérieur à la solution de fortune qui consiste à poser dans une marmite une tasse renversée qui servira de support au plat à cuire à la vapeur: en effet, le tressage en bambou laisse passer la vapeur qui peut monter facilement

d'étage en étage. Si vous tapissez les paniers d'un torchon humide, les aliments ne colleront pas. Si vous désirez poser le cuiseur à vapeur en bambou directement sur la table, car il est très décoratif, garnissez-le de feuilles de salade ou de chou frais.

Boulettes en aumônières

Pour un plat (3 ou 4 portions):
4 œufs
100 g de crevettes crues
10 g de blanc de poireau
2 fines tranches de gingembre frais
200 g de viande de porc hachée
sel
2 c. à c. de vin de riz
1 c. à c. de fécule sèche
1 c. à c. de fécule délayée dans
2 c. à s. d'eau
30 g de pousses de bambou
50 g de jambon cru fumé
50 g de saindoux
15 cl d'huile d'arachide
20 cl de bouillon de volaille ou d'eau
30 g de petits pois écossés (frais ou surgelés)

Temps de préparation: 1 h 30

Par portion (pour 4):
2 700 kJ / 640 kcal

1 Ayez sous la main deux grands bols. Cassez 2 œufs et séparez les blancs des jaunes. Mettez un blanc d'œuf dans chaque bol. Décortiquez les crevettes à cru et hachez-les finement. Lavez le

poireau et hachez-le. Pelez le gingembre et hachez-le également.

2 Mettez dans l'un des bols contenant le premier blanc d'œuf la viande hachée, le gingembre, le poireau et 1 c. à c. de vin de riz, salez et mélangez jusqu'à consistance homogène. Façonnez ce mélange en boulettes.

3 Mettez les crevettes hachées dans le bol contenant le deuxième blanc d'œuf, salez, ajoutez la fécule non délayée et mélangez intimement. Détaillez en petits dés les pousses de bambou et le jambon.

4 Mélangez dans un petit bol les 2 jaunes et les 2 œufs restants avec la moitié de la fécule délayée en ajoutant un peu de sel.

5 Faites chauffer une poêle. Mettez-y un peu de saindoux. Versez-y 1 c. à s. de la pâte obtenue en **4** et laissez-la s'étaler, puis faites-la cuire sur feu doux jusqu'à ce qu'elle soit bien prise.

6 Posez une boulette de viande sur la petite crêpe obtenue et enfermez-la en rabattant et collant les bords. Retirez ce «ravioli» de la poêle et posez-le sur un plat résistant à la chaleur.

7 Préparez ainsi toutes les boulettes. Prenez une grande marmite, posez une tasse renversée sur le fond, versez-y de l'eau (3 ou 4 cm de hauteur) puis portez à ébullition. Posez dessus le plat avec les boulettes enrobées de pâte. Faites cuire à couvert 5 minutes sur feu vif.

8 Faites chauffer l'huile dans une poêle ou un wok sur feu moyen. Mettez-y la préparation aux crevettes et faites-la cuire en remuant jusqu'à ce que le blanc d'œuf devienne opaque. Égouttez le mélange sur du papier absorbant.

9 Videz presque toute l'huile de la poêle. Ajoutez les pousses de bambou, le jambon et les petits pois. Faites-les sauter vivement. Mouillez avec le reste de vin de riz et ajoutez le bouillon ou l'eau. Salez et ajoutez les crevettes. Incorporez le reste de fécule et donnez un tour de bouillon. Nappez les boulettes de sauce et servez.

Émincé de poulet en sauce

Province du Sichuan • Rapide
Gong Bao Ji Ding

Pour un plat (2 portions):
150 g de blanc de poulet • sel
1 c. à c. de fécule délayée dans
2 c. à s. d'eau • 1 c. à c. de vin de riz
1 morceau de gingembre frais
de 3 à 5 gousses d'ail • 1 ciboule
3 piments rouges séchés
100 g de poivron rouge
50 g de pousses de bambou
2 c. à c. de sucre
2 c. à s. de sauce de soja foncée
2 c. à s. de vinaigre brun
4 c. à s. d'huile d'arachide
25 g de cacahuètes
20 grains de poivre du Sichuan

Temps de préparation: 30 mn

Par portion: 1 600 kJ / 380 kcal

1 Détaillez le blanc de poulet en dés de 1,5 cm de côté. Mélangez la moitié de la fécule et le vin de riz, salez et arrosez les dés de poulet de ce mélange.

2 Pelez le morceau de gingembre et les gousses d'ail. Lavez la ciboule. Émincez le tout finement. Coupez les piments en tranches de 1 cm. (Lavez-vous ensuite les mains et surtout ne vous touchez pas les yeux!) Lavez le poivron, ôtez-en les graines et toutes les cloisons blanches et taillez-le ainsi que les pousses de bambou en carrés de 1,5 cm.

3 Mélangez dans une coupelle le sucre, la sauce de soja, le vinaigre, le reste de fécule et un peu de sel.

4 Faites chauffer l'huile dans une poêle ou un wok. Faites-y rissoler les cacahuètes jusqu'à ce qu'elles soient bien dorées. Égouttez-les à l'aide d'une écumoire. Faites ensuite rissoler dans l'huile sur feu vif les piments et les grains de poivre. Lorsqu'ils ont dégagé leur parfum, retirez-les également.

5 Mettez les dés de poulet dans la poêle et faites-les revenir. Lorsque la chair est opaque, ajoutez le gingembre, la ciboule, l'ail, ainsi que le poivron et les pousses de bambou. Faites cuire sur feu vif en remuant pendant 1 ou 2 minutes, puis ajoutez la sauce et mélangez. Parsemez le dessus de cacahuètes et servez aussitôt.

Porc or et argent

Province du Shandong • Facile
Mu Xü Rou

Pour un plat (2 portions):
20 g de fleurs de lis séchées
10 champignons séchés
125 g de filet de porc
25 g de concombre avec la peau
25 g de pousses de bambou
1 tronçon de blanc de poireau
3 fines tranches de gingembre frais
3 œufs • 5 c. à s. d'huile d'arachide
1/2 c. à c. de fécule sèche
1 1/2 c. à c. de fécule délayée dans
3 c. à s. d'eau
3 c. à s. de sauce de soja claire
1 c. à c. de vin de riz
2 ou 3 c. à s. de bouillon ou d'eau

Temps de préparation: 30 mn

Par portion: 2 400 kJ / 570 kcal

1 Laissez tremper séparément dans deux bols d'eau bouillante les fleurs de lis et les champignons séchés pendant 10 minutes environ. Pendant ce temps, détaillez la viande en minces languettes. Pelez le concombre et détaillez-le en fines tranches de 5 × 1 cm. Découpez les pousses de bambou en fins bâtonnets. Lavez le poireau, pelez le gingembre et hachez-les.

2 Égouttez les fleurs de lis et ôtez les tiges. Épongez-les ainsi que les champignons.

3 Battez les œufs en omelette. Faites chauffer 3 c. à s. d'huile dans une poêle ou un wok, versez-y les œufs et brouillez-les sur feu moyen, puis retirez-les.

4 Poudrez les morceaux de viande de fécule. Faites chauffer 2 c. à s. d'huile. Ajoutez la viande et faites-la cuire sur feu moyen, en remuant, de 1 à 2 minutes, jusqu'à ce que la fécule devienne brillante. Ajoutez le poireau et le gingembre, la sauce de soja et le vin de riz. Faites revenir le tout.

5 Ajoutez les œufs brouillés, le concombre, les pousses de bambou, les fleurs de lis et les champignons. Mélangez délicatement. Mouillez avec le bouillon ou l'eau en incorporant la fécule délayée. Poursuivez la cuisson quelques instants pour faire épaissir la sauce.

Poulet sauce piquante

Province du Sichuan • Facile Ma La Zi Ji

Pour un plat (3 portions):
1 poulet de 1,2 kg environ
5 piments rouges séchés (ou plus selon votre goût)
1 ou 2 ciboules
4 c. à s. de feuilles de coriandre fraîche
4 c. à s. d'huile de sésame
5 c. à s. de sauce de soja claire
sel
2 c. à s. de vinaigre brun
1 c. à s. de graisse de poulet (voir note ci-dessous)

Temps de préparation: 30 mn

Par portion:

1 Portez à ébullition 2,5 litres d'eau dans une marmite. Mettez-y le poulet ficelé et attendez la nouvelle ébullition. Écumez le bouillon et laissez frémir sur feu moyen à couvert pendant 20 minutes environ.

2 Pendant ce temps, coupez les piments en petits morceaux de 1 cm de long. (Lavez-vous les mains aussitôt et surtout ne vous frottez pas les yeux!) Lavez les ciboules et détaillez-les en languettes. Lavez la coriandre et ciselez-en les feuilles.

3 Égouttez le poulet et laissez-le tiédir. Réservez 5 cl de bouillon. Désossez le poulet et retirez-en la peau. Découpez les chairs en bouchées et tenez-les au chaud dans un plat de service creux.

4 Faites chauffer l'huile de sésame dans une poêle ou un wok. Ajoutez les piments et les ciboules, faites-les revenir sur feu vif en remuant constamment jusqu'à ce que les arômes se dégagent. Ajoutez la sauce de soja, le vinaigre, la graisse de poulet et le bouillon, salez et mélangez. Portez à ébullition.

5 Versez la sauce sur le poulet et parsemez de coriandre ciselée.

Note: Si vous cuisinez souvent du poulet, prenez soin de mettre la graisse de côté. Après cuisson, récupérez le gras et versez-le dans un bol. Mettez-le au réfrigérateur pour le solidifier. Vous pouvez l'utiliser, par exemple, pour faire cuire des omelettes à la chinoise, faire sauter du riz ou des légumes.

Canard croustillant

Origine imprécise • Raffiné

Xiang Su Ya

Pour 2 plats (4 portions):
1 canard prêt à cuire (1,5 kg environ)
20 grains de poivre du Sichuan
15 g de bâton de cannelle
4 capsules de badiane (anis étoilé)
sel
6 c. à s. de vin de riz
40 g de blanc de poireau
40 g de gingembre frais
2 c. à s. de fécule
70 cl d'huile d'arachide
poivre blanc fraîchement moulu

Temps de préparation: 30 mn
(+ 50 mn de cuisson à la vapeur)

Par portion: 4 400 kJ / 1 040 kcal

1 Lavez le canard à l'intérieur et à l'extérieur, puis épongez-le. Concassez les grains de poivre, la cannelle et la badiane avec un couteau à forte lame. Vous pouvez aussi mettre ces ingrédients dans un sachet en plastique résistant (sac à congélation par exemple) et les écraser avec un rouleau à pâtisserie. Ajoutez au mélange du sel et le vin de riz, puis frottez le canard avec cette préparation. Posez la volaille dans un grand plat résistant à la chaleur. Lavez le poireau et émincez-le finement. Pelez le gingembre et émincez-le également. Ajoutez-les sur le canard.

2 Posez une tasse à l'envers dans une grande marmite. Versez-y de l'eau sur 5 cm de hauteur. Posez le plat avec le canard sur la tasse renversée, couvrez la cocotte et faites cuire à la vapeur sur feu vif pendant 50 minutes. Vérifiez le niveau d'eau et rajoutez-en le cas échéant.

3 Retirez le canard de la marmite, égouttez-le et laissez-le refroidir. Jetez le poireau et le gingembre. Enduisez tout le canard avec la fécule.

4 Faites chauffer l'huile dans un wok ou une grande poêle. Mettez-y le canard et faites-le rissoler sur toutes les faces sur feu moyen jusqu'à ce qu'il soit bien doré et croustillant. Cette opération dure environ 10 minutes.

5 Égouttez le canard et découpez-le en petits morceaux. Disposez-les sur un plat et servez aussitôt.

6 Dégustez le canard croustillant en trempant les morceaux dans un mélange de sel et de poivre blanc.

Canard à la pékinoise

Pékin • Plat de fête **Bei Jing Kao Ya**

Pour un canard (5 ou 6 portions):
1 canard de 2 kg environ
3 c. à s. de miel ou de mélasse
Pour la sauce:
2 c. à s. d'huile de sésame
4 c. à s. de pâte de haricots de soja
salée (Tian Mian Jiang)
2 c. à c. de sucre
10 cl d'eau chaude environ
Garniture:
12 ciboules
au moins 24 crêpes (voir page 102)

Temps de préparation: 2 h
(+ 8 h de séchage minimum)

Par portion (pour 6):
4 400 kJ / 1 000 kcal

1 Lavez le canard à l'intérieur et à l'extérieur. Recousez l'ouverture. Découpez dans la peau du cou, à l'aide d'un couteau pointu, une ouverture juste assez grande pour pouvoir introduire l'embout d'un gonfleur sous la peau.

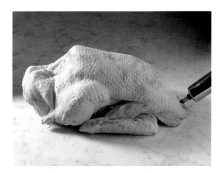

2 Versez de 4 à 5 litres d'eau dans une grande marmite et portez-la à ébullition. Pendant ce temps, gonflez lentement l'espace entre le canard et la peau à l'aide du gonfleur, tout en massant doucement la peau avec vos mains. Continuez à gonfler jusqu'à ce que la peau se détache partout de la chair.

3 Ébouillantez le canard avec l'eau brûlante. Épongez-le soigneusement, puis enduisez-le de miel ou de mélasse.

4 Suspendez le canard à un croc de boucher dans un endroit frais et aéré. Laissez-le sécher pendant 8 heures. La peau doit être complètement desséchée et prendre l'apparence du parchemin.

5 Préchauffez le four à 200 °C (thermostat 6). Posez le canard dans un plat, poitrine contre le fond. Enfournez-le à mi-hauteur et faites-le rôtir de 25 à 30 minutes. Glissez dans le four une tasse pleine d'eau chaude et poursuivez la cuisson 10 minutes par côté, jusqu'à ce que la peau soit uniformément dorée.

6 Versez dans une casserole l'huile de sésame, la pâte de haricots de soja, le sucre et l'eau. Posez le casserole sur feu moyen et faites chauffer en remuant jusqu'à ce que le mélange épaississe. Lavez et épongez les ciboules, coupez-les en tronçons de 3 à 4 cm de long, puis émincez-les.

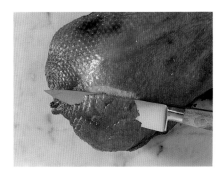

7 Détachez la peau croustillante du canard et découpez-la en petits carrés. Découpez la chair en bouchées.

8 Pour servir, nappez les crêpes de sauce et garnissez-les de canard et de ciboules, rabattez le quart inférieur de chaque crêpe en biais, puis roulez-les.

Note: À l'origine, on gonflait le canard en soufflant de l'air à l'intérieur à l'aide d'un chalumeau. Comme cette opération était fastidieuse et longue, l'idée d'utiliser la pompe à air s'imposa. Un bon cuisinier parvient à prélever sur un canard 120 morceaux de peau, avec ou sans chair.

POISSONS ET FRUITS DE MER

Pour désigner le poisson, on emploie en chinois le terme de *Yu*, dont le son peut également signifier «rester en plus». Le soir du réveillon, en Chine, le poisson fait obligatoirement partie du repas. Même si la recette est vraiment exquise, il faut toujours en laisser un peu dans le plat, car, s'il y a des restes, cela veut dire que les convives mangeront à leur faim pendant toute l'année qui vient. Comme le poisson est servi entier, avec la tête et la queue, c'est-à-dire en quelque sorte avec le début et la fin, cela signifie aussi: «Bien commencé et bien terminé.» Mais les Chinois consomment beaucoup de poisson tout au long de l'année. Il constitue une source importante d'albumine, car les produits laitiers sont pratiquement absents de l'alimentation. Avec plus de 5 000 kilomètres de côtes, sans compter les fleuves et les étangs, l'approvisionnement en poissons ne pose aucun problème.

Les poissons d'eau douce sont d'ailleurs aussi appréciés que ceux de mer, et les écrevisses sont même nettement plus chères que les langoustines.

L'un des poissons préférés des Chinois est la carpe, qui bénéficie de cette faveur plus en raison de sa valeur symbolique de porte-bonheur que de sa saveur intrinsèque. Les Chinois aiment aussi les crevettes et en consomment souvent. Leur chair, particulièrement délicate, se marie avec des ingrédients variés.

Poisson farci

Est de la Chine • Facile He Bao Ji Yu

Pour 2 plats (4 portions):
4 champignons séchés tongku
2 poissons de 350 g chacun (truites
par exemple, vidées et parées)
2 c. à s. de vin de riz
5 c. à s. de sauce de soja
10 g de gingembre frais haché fin
3 tranches de gingembre frais
100 g de blanc de poireau haché fin
2 tronçons de poireau de 4 cm
50 g de pousses de bambou
25 g de jambon cru
75 g de viande de porc hachée
1 blanc d'œuf
1 c. à s. d'huile de sésame
4 ou 5 c. à s. d'huile d'arachide
3 c. à c. de sucre
1 c. à c. de fécule délayée dans
2 c. à s. d'eau

Temps de préparation: 50 mn

Par portion: 1 900 kJ / 450 kcal

1 Faites tremper les champignons dans de l'eau chaude pendant 20 minutes. Pendant ce temps, lavez et séchez les poissons. Badigeonnez-les avec un peu de vin de riz et de sauce de soja.

2 Égouttez les champignons et retirez-en les queues. Détaillez en bâtonnets 25 g de pousses de bambou ainsi que 2 champignons. Hachez finement le reste avec le jambon.

3 Mélangez cette préparation avec la viande hachée, le blanc d'œuf, 1/2 c. à s. de sauce de soja, 1 c. à s. de vin de riz et 1 c. à c. d'huile de sésame, le gingembre et le poireau hachés. Répartissez cette farce entre les poissons en l'introduisant dans la cavité ventrale. Refermez l'ouverture avec des cure-dents.

4 Faites chauffer l'huile dans une grande poêle ou un wok. Rangez-y les poissons farcis et faites-les cuire sur feu

moyen pendant 2 minutes de chaque côté, puis retirez-les délicatement.

5 Mettez dans la poêle à la place des poissons les tranches de gingembre et les tronçons de poireau, le reste des pousses de bambou et des champignons. Faites cuire le tout pendant 1 minute en remuant. Mouillez avec 30 cl d'eau et incorporez le reste de sauce de soja, le reste de vin de riz et le sucre.

6 Remettez les poissons farcis dans la poêle, portez à ébullition, puis couvrez et poursuivez la cuisson sur feu doux pendant 10 minutes environ.

7 Égouttez soigneusement les poissons et posez-les sur des plats de service. Incorporez la fécule délayée dans la cuisson et portez à ébullition en remuant. Nappez les poissons de sauce et arrosez-les avec le reste d'huile de sésame.

Beignets de poisson en sauce

Origine imprécise • Assez difficile

Gui Hua Yu Pian

Pour un plat (2 portions):
250 g de filets de poisson à chair
ferme (daurade par exemple)
10 g de gingembre
1 ciboule
1 tronçon de concombre de 4 cm
1 1/2 c. à s. de vin de riz
sel
3 œufs
100 g de farine
50 cl d'huile d'arachide ou 750 g de
saindoux
1 c. à s. d'huile de sésame
1/2 c. à s. de poivre du Sichuan
fraîchement moulu

Temps de préparation: 30 mn

Par portion:
4 400 kJ / 1 000 kcal

1 Rincez les filets de poisson, épongez-les et détaillez-les en morceaux de 2 cm de large, 4,5 cm de long et 1 cm d'épaisseur. Pelez le gingembre et hachez-le. Lavez la ciboule et émincez-la finement. Coupez le concombre en deux dans la longueur et détaillez-le en languettes.

2 Mélangez le vin de riz avec un peu de sel dans une coupe, ajoutez les morceaux de poisson et mélangez.

3 Cassez les œufs dans une terrine, battez-les, ajoutez 4 c. à s. d'eau, salez et incorporez la farine. Mélangez jusqu'à consistance de pâte fluide. Mettez-y les morceaux de poisson et enrobez-les.

4 Faites chauffer l'huile ou fondre le saindoux dans une poêle ou un wok. Elle est à bonne température lorsque de petites bulles montent le long d'une baguette en bois trempée dedans. Faites frire les morceaux de poisson en 3 ou

4 fournées en comptant 2 minutes à chaque fois. Quand ils sont bien dorés, égouttez-les sur du papier absorbant et posez-les sur un plat chaud.

5 Jetez presque toute la matière grasse de la poêle. Mettez-y le gingembre et la ciboule. Faites revenir rapidement, puis ajoutez le concombre et l'huile de sésame. Remettez les morceaux de poisson, mélangez rapidement, puis versez le tout sur un plat chaud et servez aussitôt. À table, chacun trempe son poisson dans un mélange à parts égales de sel et de poivre du Sichuan.

Note: Si vous n'êtes pas très expérimenté, vous pouvez simplement napper les morceaux de poisson de sauce. Quand on procède au mélange dans la poêle, sur le feu, il faut en effet aller très vite pour que les bouchées de poisson frit restent croustillantes.

Poisson à l'aigre-doux

Nord de la Chine • Raffiné Tang Cu Li Yu

Pour un plat (3 portions):
1 poisson à chair ferme de 600 g
environ (daurade par exemple,
préparée par le poissonnier)
1 œuf
1 c. à c. de fécule sèche
2 c. à c. de fécule délayée dans
5 c. à s. d'eau
2 c. à s. de farine
sel
20 g de blanc de poireau
4 gousses d'ail
1 morceau de gingembre frais gros
comme une noix
70 cl d'huile d'arachide
3 c. à s. de sucre
4 c. à s. de vinaigre brun
3 c. à s. de sauce de soja claire
2 c. à s. de vin de riz
2 c. à s. d'huile au poivre du Sichuan
1 blanc de poireau de 8 cm de long

Temps de préparation: 45 mn

Par portion: 2 400 kJ / 570 kcal

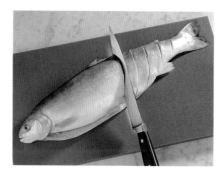

1 Rincez le poisson à l'eau froide et épongez-le. Posez-le à plat et incisez-le sur une face en biais à 2,5 cm de l'arête centrale. Décollez la chair du poisson en direction de la tête le long de l'arête, sans la détacher complètement. Faites de même sur le second côté.

2 Mélangez l'œuf, la fécule, la farine et un peu de sel pour obtenir une pâte fluide, pas trop collante. Ajoutez éventuellement un peu d'eau. Étalez régulièrement cette pâte sur le poisson.

3 Lavez les 20 g de poireau et émincez-le finement. Lavez également le tronçon

de 8 cm de poireau, faites-le blanchir 1 minute à l'eau bouillante et détaillez-le en fins rubans. Pelez les gousses d'ail et le gingembre et émincez-les finement.

4 Faites chauffer l'huile dans une sauteuse ou un wok. Elle est à bonne température lorsque de petites bulles

montent le long d'une baguette trempée dedans. Plongez-y le poisson et faites-le frire environ 3 minutes en le retournant une fois délicatement. Égouttez-le, puis replongez-le encore 2 minutes dans la friture pour que l'enrobage soit bien croustillant. Posez-le ensuite sur un plat de service chaud.

5 Jetez presque toute l'huile de friture. Mettez dans la sauteuse le poireau émincé, l'ail et le gingembre. Faites cuire 1 minute sur feu vif en remuant sans cesse. Ajoutez le vinaigre, la sauce de soja, le sucre et le vin de riz. Incorporez également la fécule délayée et portez le tout à ébullition.

6 Nappez le poisson de cette sauce et décorez le plat avec les rubans de poireau. Arrosez d'huile au poivre du Sichuan et servez aussitôt.

Variante: Si vous n'avez pas une grande expérience culinaire, surtout pour faire frire un poisson entier, vous pouvez simplifier la recette en achetant des filets de poisson (400 g de daurade ou de cabillaud); détaillez-les en bouchées, enrobez-les de pâte et faites-les frire simplement 2 minutes dans de l'huile bien chaude par petites fournées.

Note: Si vous craignez les odeurs de poisson frit, voici un moyen très efficace pour les faire disparaître. Mettez des feuilles de thé (déjà infusées) dans la poêle ou le wok, ajoutez de l'eau et portez rapidement à ébullition, puis videz le tout.

Poisson à la vapeur

Est de la Chine • Raffiné Qing Zheng Gui Yu

Pour un plat (2 portions):
5 champignons séchés tongku
1 poisson à chair tendre de 500 g
(truite ou sandre, prêt à cuire)
50 g de jambon cru fumé
50 g de pousses de bambou
6 fines tranches de gingembre frais
2 ciboules de 4 cm de long environ
2 gousses d'ail
3 c. à s. d'huile d'arachide ou de
saindoux
3 c. à s. de vin de riz
sel
1 ou 2 tranches de gingembre
hachées menu
1 c. à s. de vinaigre brun

Temps de préparation: 30 mn
(+ 20 mn de trempage)

Par portion: 2 400 kJ / 570 kcal

1 Faites tremper les champignons dans de l'eau chaude pendant 20 minutes environ. Pendant ce temps, lavez le poisson à l'eau froide et épongez-le soigneusement. Incisez-le ensuite légèrement sur les deux faces à 1 ou 2 cm d'intervalle.

2 Égouttez les champignons, ôtez les queues et émincez les têtes. Émincez le jambon et les pousses de bambou.

3 Posez le poisson sur une assiette ovale. Répartissez par-dessus le jambon, les pousses de bambou et les champignons en alternant les couleurs.

4 Pelez le gingembre et lavez les ciboules. Pelez les gousses d'ail et coupez-les en lamelles épaisses.

5 Faites chauffer l'huile ou le saindoux dans une poêle ou un wok. Faites-y rissoler rapidement sur feu vif les ciboules et l'ail. Ajoutez 4 c. à s. d'eau, le vin de riz et un peu de sel.

6 Nappez le poisson de sauce et entourez-le de ciboules, d'ail et de gingembre.

7 Posez une grande tasse à l'envers dans le fond d'une grande marmite. Versez-y de l'eau sur 4 cm de hauteur environ et posez l'assiette contenant le poisson et sa garniture sur la tasse renversée. Portez à ébullition, couvrez et laissez cuire à la vapeur de 10 à 15 minutes.

8 Retirez le gingembre, les ciboules et l'ail, jetez-les. Pelez les tranches de gingembre restantes et hachez-les finement, mélangez-les avec le vinaigre. Servez ce condiment en même temps que le poisson, pour y tremper les bouchées au fur et à mesure.

Note: Pour accompagner le poisson, vous pouvez remplacer le vinaigre brun par de l'huile de sésame ou de l'huile au poivre du Sichuan.

Le gingembre

Le gingembre est l'une des épices les plus anciennement utilisées. Aujourd'hui, cette plante est cultivée essentiellement en Chine, au Japon et en Inde. Ce sont ses rhizomes que l'on consomme, frais, séchés et réduits en poudre ou confits au sucre. Le gingembre doit son arôme camphré et son goût piquant et poivré à des huiles essentielles. Avec le poireau et l'ail, le gingembre fait partie depuis toujours des trois substances «piquantes» de la gastronomie chinoise.

Dans la province de Jiangsu, une très ancienne tradition voulait que l'on propose à tous les convives, avant le repas, en vue de leur ouvrir l'appétit, un amuse-gueule constitué de gingembre finement émincé.

Le gingembre jeune est transporté en bottes énormes.

Confucius lui-même tenait le gingembre en haute estime et espérait, dit-on, ne jamais manger de toute sa vie un plat qui n'en comporterait pas. Le gingembre est apprécié non seulement pour sa saveur aromatique et épicée, mais également pour les vertus thérapeutiques qu'on lui attribue, à juste titre.

Selon la théorie du Yin et du Yang, c'est une plante dite «chaude» qui combat les rhumes, la fièvre, les maux d'estomac et les refroidissements en général: faites bouillir du gingembre avec de l'eau sucrée et buvez l'infusion très chaude, vous aurez alors une suée des plus bénéfiques.

Poisson braisé au poireau

Nord de la Chine • Facile   **Cong Kao Ji Yu**

Pour deux plats (3 portions):
2 poissons de 300 g chacun (truites
par exemple, prêtes à cuire)
4 c. à s. de sauce de soja foncée
200 g de jeunes poireaux ou
de ciboules
20 g de pousses de bambou
4 c. à s. de saindoux
2 c. à s. de vin de riz
1 c. à s. de sucre
1 1/2 c. à s. d'huile de sésame

Temps de préparation: 35 mn

Par portion: 1 700 kJ / 400 kcal

1 Rincez les poissons à l'eau froide, épongez-les et incisez-les en 4 ou 5 endroits en biais de chaque côté. Badigeonnez-les ensuite avec un peu de sauce de soja.

2 Lavez les ciboules ou les poireaux et taillez-les en segments de 6 cm de long. Si les blancs de poireaux sont assez gros, recoupez-les en deux dans l'épaisseur. Détaillez les pousses de bambou en bâtonnets.

3 Faites fondre 3 c. à s. de saindoux dans une poêle à revêtement antiadhésif. Saisissez les poissons sur feu moyen pendant environ 2 minutes de chaque côté. Arrosez-les de vin de riz et couvrez la poêle. Laissez mijoter 1 minute, puis mélangez le reste de sauce de soja, le sucre et 6 c. à s. d'eau et versez ce mélange dans la poêle. Poursuivez la cuisson à couvert pendant 8 minutes.

4 Pendant ce temps, faites chauffer 1 c. à s. de saindoux dans une autre poêle. Ajoutez les poireaux ou les ciboules et les pousses de bambou. Faites-les cuire sur feu vif en remuant constamment pendant 2 minutes jusqu'à ce que leur arôme se dégage. Transférez alors dans cette poêle les poissons et leur sauce et poursuivez la cuisson à couvert pendant 5 minutes encore.

5 Mettez les poissons sur un plat. Entourez-les de la garniture de légumes et arrosez le tout d'huile de sésame.

Crevettes frites

Nord de la Chine • Rapide   **You Bao Xia**

Pour un plat (2 portions):
400 g de grosses crevettes roses
crues, non décortiquées
3 fines tranches de gingembre frais
1 tronçon de blanc de poireau de
3 cm de long
1 c. à s. de sucre
1 c. à s. de vinaigre brun
1 c. à c. de sel
40 cl d'huile d'arachide

Temps de préparation: 15 mn

Par portion: 1 900 kJ / 450 kcal

1 Retirez les pattes des crevettes. Lavez-les soigneusement à l'eau froide, puis épongez-les à fond, sinon elles vont provoquer des éclaboussures dans la friture.

2 Pelez le gingembre, lavez le poireau et émincez-les tous deux finement. Mélangez dans un bol le sucre, le vinaigre, le sel et 2 ou 3 c. à s. d'eau.

3 Faites chauffer l'huile dans une grande poêle ou un wok. Elle est à bonne température lorsque de petites bulles montent le long d'une baguette en bois trempée dedans. Plongez-y les crevettes et faites-les frire 1 minute, jusqu'à ce qu'elles soient bien rouges. Égouttez-les.

4 Jetez presque toute l'huile du récipient de cuisson et versez-y la sauce, le gingembre et le poireau. Laissez-la chauffer, mettez-y les crevettes et remuez pendant quelques instants pour bien les enrober de sauce.

Note: Vous trouverez dans presque tous les magasins de produits exotiques des crevettes surgelées de bonne qualité. Vous pouvez sans problème prélever la quantité qui vous convient et laisser le reste dans votre congélateur. Faites toujours décongeler vos crevettes en les mettant dans le réfrigérateur suffisamment longtemps à l'avance. Les crevettes frites peuvent également se servir froides.

Crevettes aux champignons

Nord de la Chine • Facile **You Men Da Xia**

Pour un plat (2 portions):
10 champignons séchés mu-err de
taille moyenne
5 fines tranches de gingembre frais
2 ciboules
3 gousses d'ail
400 g de crevettes crues
4 c. à s. d'huile d'arachide
1 c. à s. de vin de riz
sel
1 ou 2 c. à s. d'huile de sésame
(facultatif)

Temps de préparation: 35 mn

Par portion: 1 900 kJ / 450 kcal

1 Faites tremper les champignons dans de l'eau chaude pendant 20 minutes environ. Pendant ce temps, pelez le gingembre et les gousses d'ail, parez et lavez les ciboules. Hachez le gingembre et l'ail, émincez finement les ciboules. Épongez les champignons à fond.

2 Décortiquez les crevettes à cru. Fendez-les en deux dans la longueur en partant de la partie la plus épaisse, mais sans les séparer complètement à l'autre bout.

3 Faites chauffer l'huile dans une grande poêle ou un wok. Mettez-y les crevettes et faites-les revenir sur feu vif en remuant pendant 1 minute. Ajoutez le vin de riz, mélangez, puis sortez les crevettes et égouttez-les.

4 Videz presque toute l'huile de la poêle, puis ajoutez les champignons et faites-les sauter rapidement. Ajoutez le gingembre, les ciboules et l'ail et poursuivez la cuisson jusqu'à ce que leur parfum se dégage. Remettez les crevettes dans la poêle et salez à votre goût.

5 Arrosez éventuellement les crevettes d'huile de sésame au moment de servir.

Note: Ce plat de crevettes est plus joli si vous le servez sur un plat tapissé de feuilles de salade. Prenez des grandes feuilles, lavez-les et disposez-les dans le plat, puis versez les crevettes et leur garniture au milieu.

Crevettes aux tomates

Est de la Chine • Rapide　Fan Qie Xia Ren

Pour un plat (2 portions):
400 g de crevettes crues
50 g de ciboules
50 g de châtaignes d'eau
1 ou 2 tomates (selon la taille; à
défaut, des tomates pelées en boîte)
5 c. à s. d'huile d'arachide
50 g de petits pois écossés (frais ou
surgelés)
sel
1 c. à c. de sucre
2 c. à s. de vin de riz
3 fines tranches de gingembre frais
1 c. à s. de fécule délayée dans
5 c. à s. d'eau

Temps de préparation: 25 mn

Par portion: 2 300 kJ / 550 kcal

1 Lavez les crevettes. Décortiquez-les en coupant la tête à 1 cm derrière l'articulation, épongez-les. Parez les ciboules et taillez-les en petits dés. Coupez également les châtaignes d'eau en petits dés de la taille des petits pois. Lavez les tomates et coupez-les en morceaux de 2 cm.

2 Faites chauffer 2 1/2 c. à s. d'huile dans une grande poêle ou un wok. Mettez-y les crevettes et saisissez-les sur feu vif en remuant pendant environ 2 minutes. Quand elles sont toutes bien rouges, égouttez-les.

3 Faites chauffer le reste d'huile. Ajoutez les ciboules et faites-les revenir vivement en remuant, puis égouttez-les. Substituez-leur les tomates et faites-les sauter sur feu vif pendant 2 minutes, jusqu'à ce qu'elles rendent leur jus. Ajoutez les petits pois et les châtaignes d'eau, mélangez bien, puis remettez les ciboules.

4 Salez, sucrez et ajoutez le vin de riz. Pelez les tranches de gingembre et ajoutez-les également, ainsi que les crevettes. Faites revenir sur feu vif pendant 3 ou 4 minutes encore en remuant, puis retirez le gingembre. Incorporez la fécule délayée et donnez un tour de bouillon. Servez aussitôt.

Note: Vous pouvez utiliser cette recette pour cuisiner également des boulettes de viande ou de crevettes, que l'on achète surgelées dans les magasins de produits exotiques. Coupez les boulettes en deux ou en quatre pour qu'elles absorbent mieux le parfum de la sauce.

Seiche en épis

Mai Sui You Yu Juan

Origine imprécise • Un peu long

Pour un plat (2 portions):
3 champignons séchés tongku
300 g de blanc de seiche prêt à cuire
1/2 c. à c. de fécule sèche
1 c. à c. de fécule délayée dans
4 c. à s. d'eau
50 g de pousses de bambou
250 g de petites courgettes
1 morceau de gingembre frais gros
comme une noix
4 gousses d'ail
20 g de poireau
500 g de saindoux
sel
poivre blanc fraîchement moulu

Temps de préparation: 45 mn

Par portion: 2 200 kJ / 520 kcal

1 Faites tremper les champignons dans de l'eau chaude environ 20 minutes. Lavez le blanc de seiche et épongez-le soigneusement. Entaillez-le ensuite à l'intérieur en le quadrillant tous les 2 mm jusqu'à la moitié de l'épaisseur de la chair. Coupez-le en morceaux de 4 cm. Mélangez-les avec la fécule sèche.

2 Détaillez les pousses de bambou en fins bâtonnets. Lavez les courgettes et découpez-les en fines rondelles. Pelez le gingembre et les gousses d'ail. Lavez le poireau, hachez-le finement avec le gingembre. Émincez l'ail. Égouttez les champignons, rincez-les et ôtez-en les queues. Détaillez les têtes en languettes.

3 Faites chauffer très fortement le saindoux dans une marmite ou un wok. Faites-y frire les morceaux de seiche pendant 1 à 2 minutes, jusqu'à ce qu'ils s'enroulent sur eux-mêmes. Égouttez-les et épongez-les sur du papier absorbant.

4 Jetez presque toute la matière grasse fondue. Ajoutez les champignons et faites-les rissoler pendant 1 minute en remuant. Ajoutez les courgettes et les pousses de bambou et faites cuire encore 1 minute sur feu vif. Égouttez le tout.

5 Laissez 1 c. à s. de gras seulement dans le récipient de cuisson. Faites-le chauffer, ajoutez l'ail, le gingembre et le poireau. Faites-les revenir jusqu'à ce que leur parfum se dégage, puis ajoutez 4 c. à s. d'eau. Remettez tous les autres ingrédients, salez et poivrez. Incorporez la fécule délayée et donnez encore un tour de bouillon.

Variante: Au moment où vous ajoutez le poireau et le gingembre, vous pouvez mettre également 1 c. à s. de haricots de soja noirs fermentés.

Note: Plus la seiche est épaisse, plus elle est facile à découper. Faites-y attention au moment où vous la choisissez chez le poissonnier.

LÉGUMES, TOFU ET ŒUFS

La cuisine chinoise s'est largement fait connaître hors de ses frontières par de délicieuses spécialités à base de légumes, avec ou sans viande. Dans la vie quotidienne, les légumes jouent un rôle beaucoup plus important que la viande ou le poisson et permettent de confectionner des préparations d'une extrême diversité. Dans la cuisine chinoise, les légumes sont toujours détaillés en petits morceaux et cuits très rapidement, le plus souvent sautés à l'huile très chaude dans le wok ou la poêle. Cette technique préserve non seulement leur saveur, mais aussi leurs vitamines et leur aspect extérieur, ce qui est un élément important aux yeux des Chinois. C'est pourquoi, avec les légumes dont la couleur est appétissante, on n'utilise que peu de sauce de soja et seulement celle qui est claire. La diffusion du tofu, ou fromage de soja, remonte, en Chine, à l'époque des moines bouddhistes qui ont imaginé des recettes très originales pour remplacer la viande, la plupart d'entre eux étant végétariens. Le tofu est fabriqué à partir de haricots de soja et donne lieu à des utilisations très variées.

Les plats aux œufs constituent, eux aussi, un chapitre important de la cuisine quotidienne. Ils remplacent très souvent la viande et sont à la base de recettes aussi délicieuses que diverses.

Pommes à l'aigre-doux

Nord de la Chine • Raffiné   Suan Tian Tu Dou Si

Pour un plat (2 portions):
3 pommes de terre à chair
ferme (de 300 à 400 g)
1 ciboule
4 ou 5 c. à s. d'huile végétale
10 grains de poivre du Sichuan
6 c. à s. de vinaigre brun
1 c. à c. de sauce de soja claire
sel
1 ou 2 c. à c. de sucre

Temps de préparation: 50 mn

Par portion: 1 400 kJ / 330 kcal

1 Pelez les pommes de terre et taillez-les en très minces rondelles. Retaillez ensuite les rondelles en bâtonnets gros comme des allumettes. (Si vous disposez d'un robot doté d'un disque à émincer, l'opération est nettement plus rapide.) Plus les pommes de terre sont taillées fin, plus elles seront croustillantes.

2 Faites tremper les bâtonnets de pomme de terre de 10 à 15 minutes à l'eau froide, pour éliminer l'amidon. Pendant ce temps, lavez la ciboule puis hachez finement le blanc et le vert.

3 Faites chauffer l'huile dans une poêle ou un wok. Ajoutez les grains de poivre du Sichuan et remuez sur feu vif jusqu'à ce qu'ils dégagent leur parfum. Retirez-les. Égouttez les pommes de terre et épongez-les soigneusement dans du papier absorbant.

4 Plongez les pommes de terre dans l'huile bouillante et faites-les revenir pendant 5 minutes en remuant sans cesse sur feu vif. Quand elles sont cuites, baissez légèrement le feu et ajoutez le vinaigre et la sauce de soja. Goûtez et rajoutez éventuellement un peu de sel. Poudrez de sucre et poursuivez la cuisson en remuant pendant quelques instants. Parsemez de ciboule hachée et servez.

Aubergines frites

Est de la Chine • Facile   Jiao Jian Qie Tiao

Pour un plat (2 portions):
300 g d'aubergines
2 tranches de gingembre frais
1 tronçon de blanc de poireau (3 cm)
1 œuf • sel • 5 c. à s. de fécule
1 c. à c. de vin de riz
40 cl d'huile d'arachide
Pour servir:
sel, mélangé avec du poivre blanc ou
du poivre du Sichuan moulu
1 c. à s. d'huile de sésame (facultatif)

Temps de préparation: 25 mn

Par portion: 2 400 kJ / 570 kcal

1 Lavez les aubergines, essuyez-les, parez et pelez-les. Taillez-les en morceaux de 2 x 2 x 5 cm environ. Pelez le gingembre, lavez et parez le poireau, puis hachez-les finement.

2 Mélangez l'œuf et la fécule, salez légèrement. La pâte obtenue doit être assez fluide, rajoutez éventuellement un peu d'eau. Incorporez le vin de riz et le poireau et le gingembre hachés.

3 Faites chauffer l'huile dans une grande poêle ou un wok. Elle est à bonne température lorsque de petites bulles montent le long d'une baguette en bois trempée dedans.

4 Trempez les morceaux d'aubergine dans la pâte puis faites-les frire dans l'huile pendant 2 minutes. Égouttez-les.

5 Faites chauffer l'huile à nouveau. Remettez toutes les aubergines frites et procédez à un second bain de friture pour obtenir une belle couleur dorée. Égouttez à fond.

6 À table, passez chaque bouchée dans le mélange de sel et de poivre, arrosez si vous le désirez de quelques gouttes d'huile de sésame.

Note: S'il vous reste des aubergines, faites-les bouillir le lendemain avec de la sauce de soja, de l'ail haché et un peu de sucre. Avec du riz, c'est délicieux.

Champignons sautés

Origine imprécise • Facile

Mu Er Dou Jiao

Pour un plat (2 portions):
10 champignons séchés mu-err de
taille moyenne
4 grosses gousses d'ail (ou plus
selon votre goût)
300 g de haricots verts (frais ou
à défaut surgelés)
4 c. à s. d'huile végétale
sel

Temps de préparation: 35 mn

Par portion: 1 000 kJ / 240 kcal

1 Faites tremper les champignons séchés pendant 20 minutes environ dans de l'eau chaude. Pendant ce temps, pelez les gousses d'ail et émincez-les finement. Remplissez d'eau une casserole et portez à ébullition.

2 Si vous prenez des haricots frais, lavez-les et effilez-les, puis faites-les blanchir de 2 à 3 minutes dans l'eau bouillante. Rafraîchissez-les, égouttez-les et taillez-les en segments de 3 cm.

3 Rincez les champignons et coupez les plus gros morceaux. Décantez l'eau de trempage et récupérez-la dans un bol.

4 Faites chauffer l'huile dans une grande poêle ou un wok. Faites-y revenir l'ail vivement. Quand son parfum commence à se développer, ajoutez les champignons bien essorés et faites-les sauter rapidement. Ajoutez ensuite les haricots et poursuivez la cuisson en remuant pendant 5 minutes, jusqu'à ce qu'ils soient cuits mais encore croquants. Mouillez avec 2 ou 3 c. à s. d'eau de trempage des champignons. Salez et servez.

Note: Ce plat est également très bon froid. Vous pouvez le cuisiner à l'avance et le prévoir pour un buffet.

Champignons secs

L'une des plus anciennes méthodes de conservation des aliments est le séchage. Elle est idéale en particulier pour les champignons, dont la saison est relativement courte. À la différence d'autres produits, les champignons séchés non seulement ne perdent pas de leur saveur, mais développent un arôme bien particulier. Les champignons mu-err ont un aspect étrange. Ils poussent dans les bois sur les vieux troncs d'arbres. C'est pourquoi on les appelle aussi oreilles de bois. De goût, ils sont assez neutres, mais ils se marient parfaitement avec presque tous les aliments. Outre les champignons noirs, il existe deux variétés de champignons clairs, que l'on nomme parfois morilles

Champignons mu-err, tongku et morilles argentées.

argentées mais qui, en Chine, sont encore désignées sous le nom de mu-err. On les utilise surtout pour les desserts, comme la gelée de morilles argentées *(page 134)*. Les Chinois apprécient aussi le shiitake, ou lentin de chêne, appelé tongku. En Europe et en Amérique, on le cultive sur substrats, de sorte qu'on en trouve du frais toute l'année, mais, en Chine, on le trouve le plus souvent séché.

Germes de soja au poivron

Origine imprécise • Rapide
Shuang Se Yin Ya

Pour un plat (2 portions):
300 g de germes de soja (haricots
mungo)
1 poivron rouge
4 c. à s. d'huile de maïs
sel

Temps de préparation: 15 mn

Par portion: 910 kJ / 220 kcal

1 Lavez les germes de soja, en éliminant éventuellement les bouts noircis. Retirez également les parties verdies.

2 Lavez le poivron et coupez-le en deux. Retirez le pédoncule et les cloisons intérieures avec les graines. Détaillez ensuite le poivron en fines languettes, de la même longueur à peu près que les pousses de soja.

3 Faites chauffer l'huile dans une grande poêle ou un wok. Ajoutez les germes de soja et le poivron, mélangez et faites revenir sur feu vif en remuant pendant 3 minutes, jusqu'à ce qu'ils soient cuits mais encore croquants. Salez et servez.

Note: Ce plat est également très bon si vous lui incorporez un peu de ciboulette chinoise hachée. Dans ce cas, ajoutez-la seulement à la fin et faites-la cuire très rapidement, sinon elle perd tout son goût. Vous pouvez facilement faire pousser vous-même ces germes de soja. Faites tremper 100 g de haricots mungo pendant 12 heures, puis égouttez-les, mettez-les dans un verre et couvrez celui-ci d'un torchon. Ensuite lavez les haricots chaque jour pendant 15 minutes, égouttez-les et mettez-les dans un endroit chaud. Il vous faut environ 5 jours pour obtenir les germes.

Chou blanc sauce piquante

Nord de la Chine • Rapide   Suan La Yang Bai Cai

Pour un plat (2 portions):
250 g de jeune chou blanc, paré,
lavé et pesé
3 piments rouges séchés (ou plus
selon votre goût)
1 c. à s. bombée de sucre
1 c. à s. de vinaigre brun (ou plus)
1 1/2 c. à c. de fécule délayée dans
3 c. à s. d'eau
sel
4 c. à s. d'huile végétale

Temps de préparation: 20 mn

Par portion: 1 300 kJ / 310 kcal

1 Lavez le chou et retirez les grosses feuilles de l'extérieur. Épongez les autres feuilles ou séchez-les dans l'essoreuse à salade. Détaillez-les ensuite en morceaux de 2 x 3 cm.

2 Coupez les piments en morceaux de 1 cm de long. Mélangez le sucre, le sel, le vinaigre et la fécule.

3 Faites chauffer l'huile dans une grande poêle ou un wok. Mettez-y les piments et faites-les rissoler en remuant sur feu vif pendant 4 minutes, jusqu'à ce qu'ils aient pris couleur. Retirez-les.

4 Substituez-leur le chou et faites-le revenir en remuant sur feu vif de 1 à

2 minutes. Il doit rester croquant. Incorporez la sauce et donnez un tour de bouillon.

Variante: Vous pouvez remplacer le chou par du concombre. Pelez le concombre, puis détaillez-le en cubes que vous faites dégorger au sel. Égouttez-les et épongez-les soigneusement. La cuisson ne doit pas dépasser 1 minute. Pour la sauce, utilisez seulement du vinaigre et un peu de sel.

Note: Ce chou blanc constitue une excellente garniture pour un plat de viande, mais il est également délicieux servi froid, par exemple au cours d'un pique-nique.

Tofu deux fois cuit

Origine imprécise • Un peu long Jin Xiang Yu

Pour un plat (2 portions):
100 g de poitrine de porc crue,
découennée
5 champignons séchés mu-err de
taille moyenne
20 g de crevettes séchées
10 g de fleurs de lis séchées
20 g de pousses de bambou
3 fines tranches de gingembre frais
1 ciboule
400 g de tofu
3 c. à s. de saindoux
1 c. à s. de vin de riz
2 c. à s. de sauce de soja claire
sel
1 c. à s. de fécule délayée dans
3 c. à s. d'eau
poivre blanc fraîchement moulu
un peu d'huile de sésame (facultatif)

Temps de préparation: 1 h

1 Mettez le morceau de poitrine de porc dans une casserole, couvrez largement d'eau et portez à ébullition. Faites cuire environ 20 minutes sur feu moyen. Pendant ce temps, lavez les champignons, les crevettes et les fleurs de lis, puis faites-les tremper séparément dans de l'eau chaude pendant 10 minutes. Détaillez ensuite les champignons en languettes et les fleurs de lis en petits morceaux. Conservez l'eau de trempage des crevettes. Détaillez les pousses de bambou en languettes. Pelez le gingembre. Parez et lavez la ciboule. Hachez-la avec le gingembre.

2 Égouttez la poitrine de porc et détaillez-la en lardons. Mesurez 20 cl du

bouillon de cuisson et réservez-le.

3 Mettez le tofu dans une assiette creuse et posez celle-ci dans une casserole sur une tasse renversée. Versez de l'eau dans la casserole sur 3 cm de

haut environ et faites-la bouillir. Couvrez et laissez cuire à la vapeur pendant 5 minutes à forte ébullition. Détaillez ensuite le tofu en minces tranches.

4 Faites chauffer 2 c. à s. de saindoux dans une poêle. Mettez-y les tranches de tofu et faites-les dorer pendant 5 minutes sur feu moyen. Égouttez-les et détaillez-les en languettes.

5 Faites chauffer le reste de saindoux dans une poêle ou un wok. Faites-y rissoler les lardons, mouillez avec le vin de riz, le bouillon des lardons et l'eau de trempage des crevettes, puis ajoutez les champignons, les fleurs de lis, les pousses de bambou, la ciboule, le gingembre, les crevettes et finalement le tofu. Salez à votre goût, incorporez la sauce de soja, puis portez à ébullition. Liez avec la fécule et donnez encore un tour de bouillon.

6 Versez le contenu de la poêle dans un plat de service et poivrez. Arrosez, le cas échéant, de quelques gouttes d'huile de sésame. Servez très chaud.

Note: Traduit littéralement, le nom de cette recette signifie «feuilles de jade serties d'or», car le tofu, après cuisson, est blanc à l'intérieur avec des taches jaunes à l'extérieur. Cette combinaison est associée dans la symbolique chinoise avec la richesse et la longévité.
Il existe encore un autre plat qui porte le même nom. Mais les feuilles de jade serties d'or sont, dans ce cas, disposées sur un perroquet à bec rouge. Le perroquet est constitué de feuilles d'épinard, dont la tige, rouge dans la variété chinoise, forme le bec.

Tofu à la Ma Po

Province du Sichuan • Rapide   Ma Po Dou Fu

Pour un plat (2 portions):
300 g de tofu
2 gousses d'ail (ou plus selon votre goût)
1 ciboule
3 c. à s. d'huile végétale
100 g de viande hachée (porc, bœuf ou un mélange des deux)
1 ou 2 c. à s. de pâte de haricots de soja piquante
15 cl de bouillon de volaille ou d'eau
sel • 1 c. à s. de fécule délayée dans 3 c. à s. d'eau
1 c. à s. d'huile de sésame
1 c. à s. d'huile pimentée

Temps de préparation: 30 mn

Par portion: 2 200 kJ / 520 kcal

1 Remplissez une casserole d'eau et portez à ébullition. Détaillez le tofu en dés de 1 cm de côté et faites-les blanchir 1 minute dans l'eau pour en éliminer l'acidité, puis égouttez-les. Parez et lavez la ciboule. Pelez les gousses d'ail. Hachez ail et ciboule.

2 Faites chauffer l'huile dans une grande poêle ou un wok. Faites-y rissoler vivement l'ail et la ciboule. Ajoutez la viande hachée et faites revenir le tout en remuant sans cesse sur feu très vif jusqu'à ce que le mélange soit coloré de toutes parts.

3 Incorporez la pâte de haricots de soja et le bouillon ou l'eau, puis ajoutez les dés de tofu, salez et portez à ébullition.

Baissez le feu et laissez mijoter pendant 5 minutes. Ajoutez la fécule délayée et donnez un tour de bouillon. Servez aussitôt. Assaisonnez le tofu d'huile de sésame et d'huile pimentée à table.

Note: Le tofu à la Ma Po porte le surnom de «tofu de la femme au visage grêlé». Sous la dynastie Qing (1644-191!), il y avait, à une certaine époque, dans la ville de Cheng Du, une boutique où l'on vendait du tofu et qui était tenue par une femme dont le visage était marqué par la variole, . Elle cuisinait le tofu de cette manière et, comme sa boutique était très connue, elle attirait de nombreux clients. C'est ainsi que sa recette s'est diffusée et que son nom lui est resté attaché.

Le tofu

Le soja existe en Chine depuis plus de 5 000 ans. Rien d'étonnant donc à ce que les produits à base de soja soient innombrables dans l'Empire du Milieu. L'un des plus importants est le tofu, obtenu par coagulation du lait de soja qui donne un produit léger et beige pâle. En Chine, outre le tofu blanc, il existe d'autres variétés de tofu, par exemple le tofu frit et le tofu mariné. C'est dans les temples bouddhistes que sont nées la plupart des recettes à base de tofu, car les moines avaient besoin d'un substitut alimentaire pour la viande et le poisson. Le tofu possède une valeur diététique indéniable: il contient des protéines de bonne qualité, ainsi que des acides gras essentiels, des sels minéraux et

En Chine on trouve du tofu aussi bien en saumure que séché.

des vitamines. En revanche, il ne contient pas de cholestérol et ne fournit que peu de calories.

Vous pouvez acheter du fromage de soja dans les magasins de produits exotiques ou diététiques. Pour le goût chinois, le

tofu que l'on trouve en Europe est un peu trop acide. Il est donc préférable de le blanchir au préalable. Vous pouvez aussi utiliser du tofu instantané (à fabriquer soi-même), qui est plus tendre et plus proche du goût chinois.

Tofu sauté

Origine imprécise • Facile **Ji Zhuo Dou Fu**

Pour un plat (2 portions):
5 champignons séchés tongku
20 g de fleurs de lis séchées
1 ciboule
30 g de cacahuètes grillées
300 g de tofu
30 g de jambon cru fumé coupé fin
50 g de pousses de bambou
3 c. à s. de saindoux (ou 4 c. à s.
d'huile d'arachide)
50 g de viande hachée
1 c. à c. de vin de riz
sel
1 c. à s. de sauce de soja claire
1 c. à c. de fécule délayée dans
3 c. à s. d'eau
1 c. à c. d'huile de sésame

Temps de préparation: 40 mn

Par portion: 2 200 kJ / 520 kcal

1 Faites tremper les champignons et les fleurs de lis dans de l'eau chaude pendant 10 minutes. Pendant ce temps, parez et lavez la ciboule, puis hachez-la finement. Concassez les cacahuètes avec un couteau à large lame. Détaillez le tofu en tranches fines. Égouttez les champignons et les fleurs de lis, rincez-les et épongez-les. Taillez-les, ainsi que le jambon et les pousses de bambou, en petits dés de 5 mm de côté.

2 Faites chauffer 1 c. à s. de saindoux ou d'huile dans une grande poêle ou un wok. Faites-y rissoler la viande hachée en remuant sans cesse sur feu vif pendant 1 minute. Ajoutez banbou, champignons et fleurs de lis, mélangez sur feu vif. Mouillez avec le vin de riz et poursuivez la cuisson pendant 1 minute, jusqu'à ce que le parfum se dégage. Retirez du feu.

3 Faites chauffer le reste de saindoux dans une autre poêle. Faites-y rissoler les tranches de tofu pendant environ 5 minutes en les retournant pour qu'elles dorent sur les deux côtés. Émiettez-les ensuite à la spatule. Ajoutez le contenu de l'autre poêle, salez et ajoutez la sauce de soja. Incorporez la fécule et donnez encore un tour de bouillon.

4 Versez le tout dans un plat de service et arrosez d'huile de sésame. Éparpillez sur le dessus le jambon, la ciboule et les cacahuètes. Servez aussitôt.

Note: La traduction littérale du nom de ce plat signifie «tofu de la poule qui picore», car le mouvement que fait la poule ressemble au geste nécessaire pour émietter le tofu dans la poêle avec la spatule.

Œufs à la vapeur

Rou Bing Zheng Dan

Origine imprécise • Facile

Pour un plat (2 portions):
1 ciboule
150 g de viande de porc hachée
2 c. à s. d'huile d'arachide
2 c. à s. de sauce de soja claire
3 œufs
sel
20 cl de bouillon de bœuf ou d'eau

Temps de préparation: 30 mn

Par portion: 2 400 kJ / 570 kcal

1 Parez et lavez la ciboule, hachez-la menu et mélangez-la avec la viande.

2 Cassez les œufs, battez-les en omelette et salez. Ajoutez le bouillon ou l'eau et versez le tout dans une terrine résistant à la chaleur. Posez celle-ci dans une grande casserole sur une tasse renversée. Versez de l'eau dans la casserole sur 3 cm de haut et couvrez. Faites cuire à la vapeur pendant 10 minutes à forte ébullition.

3 Faites chauffer l'huile dans une poêle ou un wok. Faites-y rissoler la viande sur feu vif en remuant sans cesse pendant 2 minutes. Ajoutez la sauce de soja, baissez le feu et tenez au chaud.

4 Disposez les œufs cuits sur un plat, versez la viande par-dessus et servez.

Variante: Au lieu de viande de porc, vous pouvez utiliser des crevettes. Hachez-les finement et, dans ce cas, supprimez la sauce de soja.

Note: Ce plat peut faire office de soupe, car les œufs cuits à la vapeur restent un peu liquides. Mais, en Chine, il n'entre pas dans la catégorie des soupes proprement dites.

Œufs au poisson

Nord de la Chine • Raffiné   Sai Pang Xie

Pour un plat (2 portions):
100 g de poisson à chair ferme
(daurade par exemple)
3 ou 4 œufs (selon grosseur)
2 c. à s. de fécule
1 c. à s. de vin de riz
sel
1 morceau de gingembre gros
comme une noix
40 cl d'huile d'arachide
5 cl de bouillon de bœuf ou d'eau
1 ou 2 c. à s. de vinaigre brun

Temps de préparation: 30 mn

Par portion: 2 700 kJ / 640 kcal

1 Rincez le poisson à l'eau froide et épongez-le. Détaillez-le ensuite en morceaux de 1 cm de large et 3 cm de long. Mettez-les dans une terrine. Cassez un œuf et séparez le blanc du jaune. Mélangez la fécule avec le blanc, ajoutez-les aux morceaux de poisson avec le vin de riz et un peu de sel; remuez. Pelez le gingembre et hachez-le finement.

2 Faites chauffer l'huile dans une grande poêle ou un wok.

3 Faites frire les morceaux de poisson enrobés en 2 ou 3 fournées pendant 2 minutes chacune, jusqu'à ce que l'enrobage soit ferme mais encore pâle. Égouttez-les.

4 Jetez presque toute l'huile. Mélangez le jaune d'œuf avec les autres œufs et versez-les dans la poêle. Rajoutez le poisson et mélangez le tout avec une baguette en formant des cercles, de sorte que l'on voie des filaments jaunes et des filaments blancs.

5 Ajoutez le bouillon ou l'eau, le vinaigre et le gingembre. Mélangez délicatement et servez aussitôt.

Note: Les écrevisses sont très appréciées en Chine, mais c'est un produit très coûteux. Ces œufs au poisson, dont le nom signifie «aussi bon que des écrevisses», est donc une sorte de succédané, dont le goût rappelle la saveur du crustacé. Il est courant de le servir avec du vinaigre et du gingembre en condiments de table, ce qui lui ajoute une touche de couleur appétissante. Mais c'est bien moins bon.

Composition de printemps

Origine imprécise • Rapide   Chun Re Cai

Pour un plat (2 portions):
50 g de vermicelles de riz
200 g de germes de soja
100 g d'épinards
5 ou 6 brins de ciboulette chinoise
(ou 2 ciboules)
3 œufs
sel
5 c. à s. d'huile végétale
6 grains de poivre du Sichuan
1 c. à s. d'huile de sésame

Temps de préparation: 25 mn

Par portion: 2 700 kJ/ 640 kcal

1 Faites tremper les vermicelles pendant 10 minutes dans de l'eau tiède. Pendant ce temps, lavez les germes de soja, triez les feuilles d'épinard, lavez-les et détaillez-les en morceaux de 4 à 5 cm.

2 Faites blanchir les épinards à l'eau bouillante pendant environ 1 minute, puis égouttez-les. Lavez et ciselez la ciboulette. Égouttez les vermicelles et coupez-les en petits morceaux.

3 Cassez les œufs et battez-les en omelette. Salez. Faites chauffer 3 c. à s. d'huile dans une poêle ou un wok. Versez-y les œufs battus et faites-les cuire en remuant 1 minute sur feu vif, jusqu'à ce qu'ils soient pris. Retirez du feu.

4 Faites chauffer le reste d'huile dans une autre poêle. Mettez-y le poivre du Sichuan et faites-le rissoler jusqu'à ce que son parfum se dégage. Retirez-le. Substituez-lui la ciboulette, les germes de soja et les vermicelles. Faites cuire en remuant sur feu vif de 2 à 3 minutes jusqu'à ce que les vermicelles soient ramollis. Ajoutez les épinards et les œufs et faites chauffer le tout rapidement.

5 Salez, arrosez d'huile de sésame et servez chaud.

Tomates aux œufs

Origine imprécise • Facile Xi Hong Shi Chao Dan

Pour un plat (2 portions):
200 g de tomates olivettes
1 ciboule
3 ou 4 œufs (selon grosseur)
sel
5 c. à s. d'huile végétale
1 c. à s. bombée de sucre

Temps de préparation: 30 mn

Par portion:
2 200 kJ / 520 kcal

1 Ébouillantez les tomates, puis laissez-les reposer quelques instants, rafraîchissez-les et pelez-les. Coupez-les en deux dans la longueur, puis taillez-les en morceaux de 2 cm de large. Parez la ciboule et hachez seulement les parties claires. Cassez les œufs dans une coupe et battez-les avec un peu de sel.

2 Faites chauffer 4 c. à s. d'huile dans une grande poêle ou un wok. Versez-y les œufs et faites-les prendre sur feu vif, puis mélangez-les grossièrement et poursuivez la cuisson 1 minute environ jusqu'à ce qu'ils soient jaune doré, mais encore moelleux. Ôtez-les de la poêle.

3 Ajoutez le reste d'huile et faites-la chauffer. Faites-y revenir la ciboule rapidement. Ajoutez ensuite les tomates et faites-les rissoler sur feu vif de 1 à 2 minutes. Salez et incorporez le sucre. Remettez les œufs dans la poêle et réchauffez rapidement le tout.

Note: Vous pouvez très bien utiliser pour cette recette des tomates pelées en boîte (1 petite boîte de 400 g, en retirant un peu de jus). Il faut alors augmenter légèrement la proportion de sucre et ne pas retirer les œufs de la poêle: ajoutez aussitôt les tomates et écrasez-les grossièrement. Vous pouvez aussi utiliser la ciboule crue et en parsemer le plat au moment de servir.

Œufs aux cinq parfums

Pékin • Rapide Liu Huang Cai

Pour un plat (2 portions):
25 g de blanc de poulet cuit
40 g de jambon cru fumé
(2 tranches)
20 g de pousses de bambou
3 châtaignes d'eau
50 g de crevettes (ou 10 g si elles
sont séchées, à faire tremper 20 mn)
3 ou 4 œufs (selon grosseur)
sel
1 c. à s. de fécule délayée dans
4 c. à s. d'eau
20 cl de bouillon de volaille ou d'eau
3 c. à s. de saindoux (ou 4 c. à s.
d'huile d'arachide)

Temps de préparation: 25 mn

Par portion:
2 200 kJ / 520 kcal

1 Détaillez en petits cubes le blanc de poulet, le jambon, les pousses de bambou et les châtaignes d'eau. Décortiquez les crevettes à cru et coupez-les également en petits morceaux. Cassez les œufs dans une jatte et battez-les, ajoutez les ingrédients précédents. Mélangez, salez, puis incorporez la fécule et le bouillon ou l'eau.

2 Faites chauffer fortement le saindoux ou l'huile dans une grande poêle ou un wok. Versez-y le mélange aux œufs. Laissez prendre la masse, tout en faisant glisser la partie liquide du dessus sur les côtés afin qu'elle prenne, elle aussi. Découpez l'omelette obtenue en bouchées et poursuivez la cuisson 1 minute encore sur feu vif pour que les œufs soient bien pris. Servez.

Note: Ce plat est relativement fluide et fondant. Les Chinois le mangent parfois en guise de soupe. S'il vous arrive de tomber sur des pousses de bambou fraîches dans un magasin de produits exotiques, ne ratez pas cette occasion, car elles sont très rares en Europe et sont infiniment supérieures en saveur aux pousses vendues en boîte. Ne mangez jamais de pousses de bambou crues, car certaines variétés contiennent de l'acide cyanhydrique, lequel disparaît à la cuisson. Il faut toujours les peler et les faire cuire à l'eau ou mijoter au four. C'est un légume avantageux car on n'en utilise que peu à la fois.

大好福壽

LONG LIFE BRAND

PÂTES
ET RIZ

L es pâtes chinoises passent pour
la préparation culinaire de ce
type la plus vieille du monde.
Les pâtes seraient même une invention
chinoise que Marco Polo aurait
rapportée en Italie de ses voyages
en Extrême-Orient.

En Chine, pour un repas d'anniversaire,
les pâtes figurent obligatoirement au
menu car elles sont symbole de longévité.
C'est aussi pour cette raison qu'il ne faut
pas les couper en petits morceaux, car
cela voudrait dire abréger la vie. Il existe
en Chine comme ailleurs des pâtes de
fabrication industrielle, mais les Chinois
préfèrent de loin manger des pâtes
maison et prennent le temps de les
confectionner eux-mêmes.

C'est surtout dans l'alimentation
quotidienne des habitants de la Chine
du Nord que les pâtes jouent un rôle
important. Leur forme la plus simple
est le mantou (petit pain à la farine cuit
à la vapeur), que l'on sert souvent en
garniture, mais qui peut aussi faire office
d'en-cas ou même de plat principal selon
la taille qu'on lui donne et les diverses
garnitures — salées ou sucrées, à base
de viande ou de légumes — que l'on
y met. Dans de nombreuses régions,
l'aliment de base des Chinois est encore
aujourd'hui le riz, dont les qualités
nutritionnelles sont essentielles, mais
dont la dimension gastronomique est
tout aussi évidente lorsqu'il devient
un plat à part entière, tel le riz sauté
aux œufs, aux légumes ou enrichi
d'ingrédients divers. Il permet des
recettes extraordinairement variées.

Nouilles au bœuf

Niu Rou Chao Mian

Pour un plat (2 portions):
150 g de filet de bœuf
1 c. à c. de fécule
30 g de champignons séchés shiitake
30 g de pousses de bambou (facultatif)
1 ou 2 ciboules
2 fines tranches de gingembre frais
150 g de chou bok choi (à défauts des épinards)
250 g de nouilles chinoises moyennes
6 c. à s. d'huile d'arachide
1 c. à c. de vin de riz
3 c. à s. de sauce de soja claire
5 c. à s. de bouillon de bœuf ou d'eau
sel • poivre blanc fraîchement moulu

Temps de préparation: 40 mn

Par portion: 3 500 kJ / 830 kcal

1 Rincez la viande et épongez-la. Détaillez-la en minces languettes et roulez-les dans la fécule. Parez les champignons et coupez-les en tranches, ainsi que les pousses de bambou. Parez les ciboules et émincez-les. Pelez et hachez le gingembre. Lavez le chou et coupez les feuilles en lanières de 2 cm.

2 Remplissez d'eau une casserole et faites-la bouillir. Versez-y les nouilles et faites-les cuire incomplètement. (Les nouilles chinoises ont un temps de cuisson beaucoup plus court que les pâtes italiennes. Il faut goûter de temps en temps et les égoutter lorsqu'elles sont encore très fermes.) Rafraîchissez-les sous l'eau froide et égouttez-les à fond. Ajoutez-leur 1 c. à s. d'huile et mélangez

bien pour les empêcher de coller.

3 Faites chauffer 2 c. à s. d'huile dans une grande poêle ou un wok. Mettez-y les languettes de viande et le gingembre haché. Faites rissoler en remuant sur feu vif. Ajoutez le vin de riz et 1 c. à s. de sauce de soja. Retirez la viande.

4 Faites chauffer le reste d'huile dans la poêle. Ajoutez les ciboules, les pousses de bambou, les champignons et le chou. Faites cuire 1 ou 2 minutes en remuant. Les légumes doivent rester croquants.

5 Ajoutez les nouilles et mouillez avec le bouillon ou l'eau et 2 c. à s. de sauce de soja. Salez et poivrez. Remettez la viande et réchauffez rapidement le tout.

Nouilles et pâtes

En Chine, une grande partie des pâtes est confectionnée avec de la farine de blé, de l'eau et du sel, auxquels on ajoute éventuellement des œufs. Il existe aussi des nouilles à base de farine de riz ou de soja. Un ingrédient caractéristique de la cuisine chinoise est fourni par les vermicelles transparents, à base de farine de haricots mungo. Tous ces produits sont disponibles dans les magasins de produits asiatiques ou certaines grandes surfaces. Les Chinois apprécient particulièrement les pâtes fraîches, qui prennent des formes différentes selon les régions. On peut ainsi choisir entre des longueurs et des largeurs variables. Les nouilles

Un bon faiseur de pâtes peut étirer des kilomètres de nouilles.

fines servent surtout à préparer des soupes. Pour les plats à base de nouilles sautées, ce sont les pâtes larges à la farine de blé, ressemblant aux tagliatelle italiennes, qui conviennent le mieux. Les nouilles de riz, qui existent dans la même largeur, peuvent toutefois les remplacer.

Vermicelles au porc haché

Ma Yi Shang Shu

Origine imprécise • Facile

Pour un plat (2 portions):
100 g de viande de porc hachée
1 c. à s. de vin de riz
1 blanc de poireau
3 fines tranches de gingembre frais
2 ou 3 gousses d'ail
30 cl d'huile de friture
75 g de vermicelles de soja
1 c. à s. de pâte de haricots de soja piquante
2 c. à s. de sauce de soja claire

Temps de préparation: 30 mn

Par portion: 2 500 kJ / 600 kcal

1 Mélangez la viande hachée avec la moitié du vin de riz. Parez le poireau, lavez-le et coupez-le en tronçons de 4 cm de long, puis retaillez-le en filaments. Pelez le gingembre et l'ail, puis hachez-les finement.

2 Faites chauffer fortement l'huile dans une grande poêle ou un wok. Effilochez légèrement les vermicelles, divisez-les en trois portions et faites frire chaque portion, l'une après l'autre, de 1 à 2 minutes, jusqu'à ce qu'ils deviennent opaques. Égouttez-les délicatement.

3 Prélevez 2 c. à s. de l'huile de friture et faites-la chauffer dans une autre poêle. Mettez-y la viande et faites-la revenir sur feu vif en remuant jusqu'à ce qu'elle soit bien dorée. Incorporez la pâte de haricots de soja, le poireau, le gingembre et l'ail. Poursuivez la cuisson pendant 2 minutes environ.

4 Ajoutez le reste de vin et la sauce de soja, puis 25 cl d'eau. Remettez les vermicelles et faites bouillir sur feu vif en remuant pendant 2 minutes, jusqu'à ce que le liquide soit évaporé.

Nouilles garnies

Zha Jiang Mian

Nord de la Chine • Plat raffiné

Pour un plat (3 portions):
1 c. à s. de crevettes séchées
4 ou 5 champignons tongku séchés
100 g de poitrine de porc maigre crue, sans cartilages ni couenne
30 g de pousses de bambou
2 fines tranches de gingembre frais
1 ciboule
1 tronçon de concombre (10 cm environ)
2 c. à s. d'huile d'arachide
100 g de pâte de haricots de soja «douce» (on ne l'appelle ainsi que par rapport à celle qui est piquante)
1 c. à c. de sucre
1 c. à c. de vin de riz
250 g de pâtes chinoises plates
1 c. à s. d'huile de sésame

Temps de préparation: 40 mn

Par portion: 2 300 kJ / 550 kcal

1 Faites tremper les crevettes et les champignons séparément dans de l'eau chaude pendant 20 minutes. Pendant ce temps, taillez en petits dés les pousses de bambou et la poitrine de porc. Pelez le gingembre, parez la ciboule et hachez-les finement. Lavez le concombre et taillez-le en tranches obliques, puis en languettes.

2 Égouttez les crevettes et les champignons, rincez-les et coupez-les en petits morceaux.

3 Remplissez d'eau une casserole et portez à ébullition. Mettez-y les nouilles et faites-les cuire à gros bouillons pendant 10 minutes environ.

4 Pendant ce temps, faites chauffer l'huile dans une grande poêle ou un wok. Mettez-y le gingembre et la ciboule et faites-les revenir en remuant sur feu vif. Ajoutez la viande, les pousses de bambou, les crevettes et les champignons. Faites cuire en remuant pendant 1 minute. Incorporez la pâte de haricots de soja et portez le mélange à ébullition. Baissez ensuite le feu, ajoutez le sucre et le vin de riz et poursuivez la cuisson en remuant pendant 2 minutes. Si la sauce devient trop épaisse, ajoutez de l'eau par petites quantités à la fois.

5 Égouttez les nouilles et répartissez-les dans les assiettes. Ajoutez les languettes de concombre et versez la sauce dessus. Arrosez d'huile de sésame.

Note: Vous pouvez préparer une quantité de sauce assez importante car elle se conserve très bien dans un récipient hermétique, au réfrigérateur, pendant au moins une semaine.

Nouilles froides aux 4 sauces

Province du Sichuan • Plat d'été   Si Wei Liang Mian

Pour un plat (3 portions):
Pour les nouilles:
150 g de germes de soja
4 grosses crevettes crues
4 asperges blanches (facultatif)
300 g de nouilles chinoises fines
3 c. à s. d'huile de sésame
environ 10 rondelles de concombre
Pour la sauce 1:
un morceau de gingembre
3 c. à s. de vinaigre brun
2 c. à s. de sauce de soja foncée
1 c. à s. d'huile de sésame
Pour la sauce 2:
3 gousses d'ail
2 c. à s. de pâte de sésame
sel • 1 c. à s. de sucre
1 c. à s. de sauce de soja claire
1 c. à c. de vinaigre brun
1 c. à c. de pâte de haricots de soja piquante
Pour la sauce 3:
1 ciboule
1 c. à s. de poivre du Sichuan fraîchement moulu
1 c. à s. d'huile de sésame
2 c. à s. de sauce de soja claire
un peu d'huile pimentée (facultatif)
Pour la sauce 4:
1 c. à s. de moutarde forte
2 c. à s. de sauce de soja foncée
2 c. à s. de vinaigre brun
1 c. à s. d'huile de sésame

Temps de préparation: 40 mn

Par portion:
2 500 kJ / 600 kcal

1 Remplissez une marmite d'eau et portez à ébullition. Lavez les germes de soja, parez-les et faites-les blanchir 2 minutes à l'eau bouillante. Nettoyez les crevettes et décortiquez-les, plongez-les 1 minute dans l'eau bouillante, puis coupez-les en rondelles. Pelez les asperges, coupez-les en tronçons obliques et faites-les blanchir 2 minutes à gros bouillons.

2 Faites bouillir de l'eau dans une autre marmite. Mettez-y à cuire les nouilles, à gros bouillons, en les gardant croquantes. (Goûtez-en une de temps en temps, car les temps de cuisson sont très différents d'une variété à l'autre.) Égouttez-les, arrosez-les d'huile de sésame pour qu'elles ne collent pas et laissez refroidir.

3 Versez les nouilles dans un plat creux et ajoutez tout autour les rondelles de concombre, les germes de soja, les crevettes et les asperges. Vous pouvez aussi les présenter dans des coupelles individuelles.

4 Pour la première sauce, pelez le gingembre, hachez-le finement et mélangez-le avec le vinaigre, la sauce de soja et l'huile de sésame. Pour la seconde, pelez et hachez l'ail, mélangez-le avec la pâte de sésame, le sel, le sucre, la sauce de soja, le vinaigre, la pâte de haricots de soja et 1 c. à s. d'eau. Pour la troisième, parez et hachez la ciboule, mélangez-la avec le poivre du Sichuan, l'huile de sésame, la sauce de soja et l'huile pimentée. Pour la quatrième, mélangez tous les ingrédients cités. Versez les sauces séparément dans des coupelles. Pour déguster, mélangez les nouilles et les autres ingrédients avec la sauce choisie.

La sauce de soja

La sauce de soja constitue depuis longtemps le condiment de base de la cuisine chinoise. On l'obtient par fermentation d'un mélange de haricots de soja avec du sel, des grains de blé torréfiés et de la levure. En Chine, on distingue essentiellement la sauce de soja claire et la sauce de soja foncée. Celle qui est dite «claire» a, dans le flacon, exactement la même apparence que la foncée, mais elle est plus salée et on l'emploie en plus petites quantités. En outre, les plats qu'elle assaisonne sont moins colorés qu'avec la sauce brune – d'où son nom. Dans les plats qui utilisent des ingrédients dont on veut préserver la

Germes et haricots de soja sont à la base de nombreux produits.

couleur, par exemple avec des épinards, des champignons, etc., on emploie la sauce de soja claire. La sauce foncée possède en revanche une saveur plus prononcée et donne surtout aux plats de viande une appétissante couleur brune. Il existe une sauce encore plus noire, que l'on désigne sous son nom anglais de «mushroom soysauce». Elle contient des extraits de champignons. Elle est, de ce fait, plus parfumée mais aussi plus forte. On l'utilise donc avec plus de parcimonie.

Crêpes chinoises

Nord de la Chine • Facile **Cong You Bing**

Pour 3 crêpes:
500 g de farine + un peu
50 g de ciboules parées
1 1/2 c. à c. de sel
7 c. à s. d'huile d'arachide (ou 60 g
de saindoux)

Temps de préparation: 40 mn

Par crêpe: 3 400 kJ / 810 kcal

1 Versez la farine dans une terrine et mélangez-la avec 25 cl d'eau bouillante. Pétrissez la pâte jusqu'à ce qu'elle soit bien homogène. Elle doit être souple et ne pas coller aux doigts. Si elle est trop molle, laissez-la sécher 30 minutes; si elle est trop ferme, enveloppez-la 30 minutes dans un torchon humide.

2 Lavez les ciboules et émincez-les finement.

3 Partagez la pâte en trois portions égales. Abaissez-en une sur le plan de travail légèrement fariné en formant un cercle de 2 mm d'épaisseur. Étalez 1/2 c. à c. de sel sur le dessus, puis badigeonnez-la avec 2 c. à s. d'huile et

garnissez-la enfin du tiers des ciboules.

4 Roulez la crêpe sur elle-même et pincez-en les bouts pour que l'huile ne s'échappe pas. Enroulez ensuite ce boudin en escargot.

5 Abaissez cette crêpe enroulée sur une épaisseur de 7 mm environ. Préparez les deux autres crêpes de la même façon.

6 Faites chauffer une poêle sur feu moyen et badigeonnez-la d'huile. Déposez-y une des crêpes et faites-la cuire pendant 5 minutes de chaque côté, à couvert, jusqu'à ce qu'elle soit légèrement dorée. Faites ensuite cuire les deux autres escargots de pâte de la même façon.

7 Avant de servir, appuyez sur les crêpes, progressivement, de l'extérieur vers l'intérieur afin que les différentes couches se séparent à nouveau. Pour servir, découpez-les chacune en huit morceaux avec un couteau, ou bien déchirez-les à la main.

Variante:

Vous pouvez remplacer les ciboules par du poivre du Sichuan moulu et préférer l'huile de sésame à l'huile d'arachide. Vous pouvez aussi badigeonner la pâte avec un mélange d'huile, de sel et de curry.

Note: Si vous avez des restes, coupez les morceaux de crêpe en languettes et mélangez-les avec des légumes et de la viande sautés, comme vous le feriez avec des nouilles cuites.

Crêpes en feuilles de lotus

Pékin • À préparer d'avance **He Ye Bing**

Pour 20 crêpes environ:
500 g de farine + un peu
4 c. à s. d'huile d'arachide

Temps de préparation: 30 mn

Par crêpe: 450 kJ / 110 kcal

1 Versez les 500 g de farine dans une terrine et ajoutez 20 cl d'eau bouillante. Pétrissez la pâte jusqu'à ce qu'elle soit bien homogène.

2 Façonnez la pâte en boudin et découpez celui-ci en 40 segments égaux. Chaque fois que vous coupez une portion, faites rouler le boudin pour que les morceaux restent bien ronds.

3 Étalez les segments de pâte sur le plan de travail fariné. Pressez sur chacun d'eux avec la paume de la main pour obtenir des cercles. Badigeonnez-les d'huile. Superposez les ronds de pâte deux par deux, face huilée à l'intérieur. Abaissez ensuite chaque sandwich avec le rouleau à pâtisserie pour obtenir des cercles de 15 cm de diamètre.

Confectionnez toutes les crêpes de la même façon.

4 Faites chauffer une poêle sur feu moyen et badigeonnez-la d'huile. Faites-y cuire les crêpes l'une après l'autre en comptant 1 ou 2 minutes de cuisson de chaque côté sur feu moyen, jusqu'à ce qu'elles soient légèrement dorées.

5 Pour les déguster, redécollez les deux couches et rabattez la face intérieure vers l'extérieur sur l'assiette. Ce sont ces crêpes que l'on sert en garniture du canard à la pékinoise.

Note: Si vous avez des restes, reportez-vous à la note de la page 100.

Wonton à la poêle

Province de Canton • Un peu long   **Jian Hun Tun**

Pour 40 pièces (en plat principal pour 4 portions):
250 g de filet de porc
100 g de grosses crevettes crues
3 ou 4 ciboules
3 fines tranches de gingembre frais
1 œuf
5 c. à s. d'huile d'arachide
2 c. à s. d'huile de sésame
2 c. à s. de sauce de soja claire
sel
environ 40 feuilles de pâte à wonton surgelée

Temps de préparation: 1 h 15

Par portion: 3 000 kJ / 710 kcal

1 Lavez la viande à l'eau froide et épongez-la. Décortiquez les crevettes. Hachez menu viande et crevettes. Parez les ciboules et lavez-les. Pelez le gingembre. Hachez finement les ciboules et le gingembre.

2 Cassez l'œuf et battez-le. Faites chauffer 1 c. à s. d'huile dans une poêle. Versez-y l'œuf et faites cuire sur feu moyen pour obtenir une petite omelette. Coupez-la ensuite en petits morceaux.

3 Pour la farce, versez la viande hachée dans une terrine, ajoutez les crevettes, les ciboules, le gingembre, les morceaux d'omelette, l'huile de sésame, la sauce de soja et le sel. Mélangez bien.

4 Étalez les feuilles de pâte à wonton sur le plan de travail. Badigeonnez les bords avec un peu d'eau froide. Posez au centre de chaque feuille un petit tas de farce gros comme une châtaigne.

5 Rabattez les bords en diagonale et pressez-les pour les coller. Ramenez et pincez ensemble les deux bouts pointus du wonton.

6 Faites chauffer le reste d'huile dans une grande poêle ou un wok. Faites-y dorer les poches de pâte par petites quantités, à couvert, pendant environ 2 minutes. Retournez-les, puis poursuivez la cuisson à découvert pendant 2 minutes encore. Montez le feu, arrosez le contenu de la poêle avec 2 c. à s. d'eau et posez à nouveau le couvercle pour faire étuver. Servez dans un plat creux.

Note: On sert les wonton soit nature, soit avec du vinaigre, de la sauce de soja et de l'huile pimentée. Ils sont également délicieux avec une sauce aigre-douce.

Ravioli chinois

Jiaozi

*Pour 50 pièces environ (3 ou
4 portions):
500 g de farine + un peu
250 g de filet de bœuf ou de porc
250 g de ciboulette chinoise ou de
chou chinois
sel
2 fines tranches de gingembre frais
1 ciboule
1 c. à s. de sauce de soja claire
1 c. à s. de vin de riz
Pour servir, par personne:
1 c. à c. d'huile de sésame
2 c. à s. de vinaigre de riz brun*

*Temps de préparation: 1 h 30
(+ 1 h de repos)*

*Par portion (pour 4 portions):
2 300 kJ/ 550 kcal*

1 Mélangez les 500 g de farine et 25 cl d'eau tiède et pétrissez. Quand la pâte est lisse, enveloppez-la dans un torchon humide et laissez reposer 1 heure.

2 Pendant ce temps, lavez la viande, essuyez-la et hachez-la très fin. Lavez et parez le chou ou la ciboulette puis hachez-le également. Poudrez le chou d'un peu de sel et laissez-le dégorger pendant 10 minutes. Enveloppez-le ensuite dans un torchon et épongez-le en pressant bien. Pelez et hachez le gingembre. Parez, lavez et hachez la ciboule.

3 Mettez la viande dans une terrine et mélangez-la avec le chou ou la ciboulette, le gingembre, la ciboule, le sel, la sauce de soja, le vin de riz et 2 ou 3 c. à s. d'eau froide.

4 Façonnez la pâte sur un plan de travail fariné en petits boudins de 2,5 cm de diamètre. Partagez les boudins en une cinquantaine de portions.

5 À l'aide d'un petit rouleau, abaissez chaque portion de pâte en un cercle bien régulier.

6 Posez sur chaque cercle 1 c. à c. de farce. Rabattez les cercles de pâte sur eux-mêmes en demi-cercle et collez les bords en appuyant.

7 Remplissez d'eau une grande marmite et portez à ébullition. Plongez-y les ravioli et portez à nouveau à ébullition. Ajoutez une tasse d'eau froide et faites à nouveau bouillir. Après la troisième reprise d'ébullition, les ravioli sont cuits. Pour les déguster, plongez-les dans le mélange d'huile et de vinaigre.

Variante: La farce est également excellente avec des tomates pelées. Taillez la pulpe en dés, faites-la dégorger au sel, égouttez-la bien et ajoutez-la à la farce. Le bœuf est meilleur avec la ciboulette et le porc se marie mieux avec le chou. Si vous choisissez du porc, vous pouvez aussi utiliser des épinards dans la farce, à laquelle quelques crevettes hachées donneront par ailleurs une saveur particulière.

Note: Faites comme en Chine, préparez la pâte et la farce à l'avance, puis confectionnez et faites cuire vos ravioli lorsque vos amis sont là, en leur compagnie, tout en bavardant.

Brioches aux haricots verts

Dou Jiao Su Bao Zi

Pour 40 pièces environ (comme plat principal pour 4 à 6 portions):
500 g de farine
20 g de levure (1/2 cube)
25 g de champignons séchés mu-err de taille moyenne
400 g de haricots verts
50 g de shiitake frais (ou à défaut de pleurotes)
50 g de pousses de bambou
3 c. à s. d'huile végétale
2 c. à s. de sauce de soja claire
sel
3 c. à s. d'huile de sésame

Temps de préparation: 1 h 30

Par portion pour 6 portions:
2 600 kJ / 620 kcal

1 Versez la farine dans une terrine. Faites dissoudre la levure dans 25 cl d'eau tiède et ajoutez-la. Pétrissez à fond et laissez lever environ 30 minutes dans un endroit chaud en couvrant la terrine d'un linge humide.

2 Pendant ce temps, faites tremper les champignons séchés dans de l'eau très chaude pendant 10 minutes, puis égouttez-les. Parez lavez et émincez finement les haricots. Parez les shiitake ou les pleurotes. Hachez-les finement ainsi que les pousses de bambou.

3 Faites chauffer l'huile dans une grande poêle ou un wok. Mettez-y les haricots et faites-les revenir sur feu vif pendant 1 minute. Ajoutez les champignons, frais et séchés, ainsi que les pousses de bambou. Faites revenir de 4 à 5 minutes en remuant. Salez et ajoutez la sauce de soja, laissez refroidir, puis incorporez l'huile de sésame.

4 Pétrissez à nouveau la pâte à fond. Roulez-la en boudin, puis découpez-la en une quarantaine de portions.

5 Abaissez chaque portion en cercle de 10 cm de diamètre. Le centre doit être plus mince que le bord.

6 Versez 1 c. à s. de farce au centre de chaque cercle et étalez-la légèrement à la cuiller. Rabattez la pâte d'un côté vers le haut. Repliez ensuite la pâte sur la farce pour l'enfermer. Pendant cette opération, tirez à intervalles réguliers la pâte vers le haut, pour que l'épaisseur reste la même partout. Pour finir, tordez légèrement le bout supérieur.

7 Remplissez une casserole d'eau et portez-la à ébullition. Tapissez d'un torchon humide le fond d'un cuiseur à vapeur en bambou et posez-le sur la casserole. Rangez-y les poches de pâte farcies à 2 cm d'intervalle et faites-les cuire à la vapeur par petites quantités, à couvert, pendant 6 minutes environ. (Goûtez-les pour vous assurer de la cuisson, mais reposez tout de suite le couvercle pour éviter toute déperdition de vapeur.)

Variante: Une spécialité de Shanghai est proche de ce plat. Les brioches sont cuites à l'huile dans une poêle, puis parsemées de graines de sésame. Si vous avez des restes, c'est une excellente solution.
Pour la farce, vous pouvez aussi prendre de la viande, soit à la place des haricots verts, soit mélangée avec eux.

Pâtés impériaux

Canton • Exige du temps Zha Chun Juan

Pour 16 pièces (en-cas pour 4 portions):
25 g de vermicelles transparents
4 champignons séchés tongku
250 g de germes de soja
50 g de feuilles d'épinards
50 g de ciboulette ou de ciboule
200 g de filet de porc
3 c. à s. d'huile d'arachide
40 cl d'huile de friture
sel • 1 c. à c. de fécule délayée dans 3 c. à s. d'eau
1 c. à s. d'huile de sésame
16 feuilles de pâte surgelée pour pâtés impériaux (carrés de 21 cm de côté)
Pour les coller: 1 1/2 c. à s. de fécule délayée dans 4 ou 5 c. à s. d'eau

Temps de préparation: 1 h 15

Par portion: 2 800 kJ / 670 kcal

1 Faites tremper séparément les vermicelles et les champignons dans de l'eau chaude pendant 10 minutes. Pendant ce temps, lavez, parez et hachez finement les germes de soja, les épinards et la ciboule. Lavez la viande, épongez-la et détaillez-la en languettes.

2 Équeutez les champignons et taillez-les en lamelles. Découpez aux ciseaux les vermicelles en petits morceaux.

3 Faites chauffer 3 c. à s. d'huile dans une grande poêle ou un wok. Faites-y rissoler la viande sur feu vif en remuant pendant 2 minutes. Quand elle est régulièrement colorée, ajoutez les légumes, les champignons et les vermicelles, salez et faites cuire en remuant pendant 3 minutes. Incorporez la fécule délayée, puis retirez du feu. Ajoutez l'huile de sésame.

4 Posez chaque carré de pâte à plat sur le plan de travail. Placez une portion de farce sur la partie inférieure et aplatissez-la en boudin. Rabattez la pâte par-dessus et roulez une fois. Rentrez les deux bouts de chaque côté et continuez à rouler. Badigeonnez le bord du carré de pâte avec la fécule servant de colle et finissez de rouler en appuyant bien. Confectionnez les 16 rouleaux de la même manière.

5 Faites chauffer la friture dans une grande poêle. Elle est à bonne température lorsque des petites bulles montent le long d'une baguette en bois plongée dedans. Déposez les pâtés impériaux dans la friture en 2 ou 3 fois et faites-les cuire 2 minutes environ. Égouttez-les et posez-les sur du papier absorbant.

Note : On connaît les pâtés impériaux depuis la dynastie Song (960-1279). À l'origine, on les préparait non pas à l'occasion de la fête du printemps (Nouvel An), mais pour le premier jour du printemps.

Leur forme évoque les vers à soie qui se mettent à éclore à cette époque. Traditionnellement, l'impératrice, déesse protectrice de l'élevage des vers à soie, présidait une cérémonie, lors d'un jour considéré comme favorable, à l'occasion de laquelle on lui servait ces rouleaux. Les cocons devaient se développer dans de bonnes conditions pour pouvoir produire en automne beaucoup de soie, l'une des grandes spécialités de la Chine depuis les temps les plus reculés.

Pour accompagner les rouleaux de printemps, servez de la sauce de soja ou encore une sauce aigre-douce (toute prête en flacon).

Les feuilles de pâte sont vendues par paquets de 40 ou 50. Mais vous pouvez prélever la quantité qui vous suffit et remettre le reste au congélateur.

Variante : Vous pouvez aussi découper les feuilles de pâte restantes en quarts ou en huitièmes et les faire frire. Égouttez-les, poudrez-les de sucre et servez-les en dessert.

Une garniture pour le dessert : la pâte de haricots de soja rouge sucrée, vendue en boîte (Bin Tang Tian Dou Sha), une spécialité typique de Shanghai.

Riz à la chinoise

Chine entière • Facile **Da Mi Fan**

Pour 4 portions:
400 g de riz spécial, acheté dans les
magasins de produits exotiques
(évitez le riz européen à
grains longs)

Temps de préparation: 20 mn

Par portion: 1 500 kJ / 360 kcal

1 Versez le riz dans une passoire et rincez-le rapidement à l'eau froide.

2 Mettez-le dans une casserole. Versez suffisamment d'eau par-dessus pour qu'il soit couvert sur 1 cm. Portez à ébullition à découvert sur feu vif.

3 Placez deux baguettes sur les bords de la casserole. Posez le couvercle par-dessus et poursuivez la cuisson sur feu doux à moyen jusqu'à ce que tout le liquide se soit évaporé. Selon la taille du récipient, cette opération demande entre 5 et 10 min.

4 Retirez les baguettes, laissez le couvercle et terminez la cuisson sur feu doux 10 min encore.

Note: les Chinois estiment que le riz est d'autant plus délicieux qu'il a cuit longtemps à chaleur douce. Par ailleurs, pendant toute la cuisson, il ne faut pas le remuer. Il se forme ainsi dans le fond une croûte qui est très bonne, le lendemain, frite à l'huile. Le riz cuit à l'eau salée, comme on le prépare en Europe, ne convient pas au goût chinois. Pour un repas chinois, le riz doit être, en outre, un peu moins ferme qu'en Europe.

Le riz

Le riz est cultivé en Asie depuis des milliers d'années. En Chine, c'est une culture que l'on pratique sur une grande échelle depuis 7 000 ans environ. Pour prospérer, le riz a besoin de beaucoup de chaleur et surtout d'humidité. C'est pourquoi les plants sont mis en terre dans les champs pendant la saison des pluies et ceux-ci sont toujours largement approvisionnés en eau pendant la période de croissance. Généralement, les champs sont déjà immergés avant le moment où l'on repique les plants, pour que ceux-ci disposent d'une humidité suffisante, et entourés d'une petite digue pour que la terre soit bien stable sous l'eau. On peut récolter le riz une fois,

Avant que les plants de riz ne soient mis en terre, on laboure les champs.

deux fois ou trois fois par an. C'est le riz ayant mûri le plus longtemps qui est le meilleur. Il existe trois variétés biologiques de riz: celui à grains longs, celui à grains ronds et le riz moyen.

En outre, on trouve le riz collant ou gluant, plus riche en amidon que les autres, spécialement utilisé pour les farces, les gâteaux, les cuissons au four et autres préparations.

Riz cantonais

Sud de la Chine • Facile   **Huo Tui Dan Chao Fan**

Pour un plat (2 portions):
1 ciboule
50 g de jambon cru fumé (2 tranches)
ou de saucisses chinoises Xiang
Chang
3 ou 4 œufs (selon grosseur)
sel
5 ou 6 c. à s. d'huile d'arachide
300 g de riz cuit de la veille

Temps de préparation: 25 mn

Par portion: 4 600 kJ/ 1 100 kcal

1 Parez la ciboule et hachez-la finement. Taillez le jambon ou les saucisses en petits dés. Cassez les œufs et battez-les en omelette, salez-les.

2 Faites chauffer 2 c. à s. d'huile dans une poêle ou un wok. Versez-y les œufs et faites-les cuire sur feu moyen. Lorsqu'ils sont pris, découpez-les en morceaux et poursuivez la cuisson pendant 1 minute pour les faire dorer, sans trop les dessécher (un peu comme des œufs brouillés). Retirez-les de la poêle.

3 Faites chauffer le reste d'huile dans le récipient. Ajoutez la ciboule et le jambon, faites-les rissoler sur feu vif.

Ajoutez le riz et éparpillez-le avec des baguettes ou une cuillère jusqu'à ce que tous les grains soient décollés. Salez et poursuivez la cuisson pendant quelques minutes.

4 Rajoutez les œufs, mélangez délicatement, puis servez dans un plat creux chauffé.

Variante: Cette recette est une formule de base que vous pouvez varier à volonté. On l'apprécie beaucoup sous la forme du «riz aux huit trésors», avec des crevettes, du jambon, des champignons, des pousses de bambou, du concombre, des carottes, des petits pois et de l'oignon rouge.

Croûtons de riz aux pleurotes

Nord de la Chine • Plat de fête   **Mo Gu Guo Ba**

Pour un plat (2 portions):
5 champignons séchés mu-err de
taille moyenne
100 g de grosses crevettes crues
150 g de pleurotes
1 ciboule
25 cl d'huile de friture
150 g de croûtons de riz séchés
(voir note page 110)
1 c. à c. de vin de riz
sel
15 cl de bouillon de volaille ou d'eau
1 c. à c. de fécule délayée dans
2 c. à s. d'eau

Temps de préparation: 25 mn

Par portion: 2 400 kJ/ 570 kcal

1 Faites tremper les champignons séchés pendant 10 minutes dans de l'eau chaude. Pendant ce temps, décortiquez les crevettes à cru, lavez-les et coupez-les en petits dés. Nettoyez les pleurotes et taillez-les en languettes.

2 Rincez les champignons séchés et ôtez les queues; détaillez les têtes en petits morceaux. Faites blanchir les pleurotes pendant 1 minute à l'eau bouillante, puis épongez-les à fond. Parez la ciboule et émincez-la.

3 Faites chauffer l'huile dans une grande poêle ou un wok. Faites-y frire les croûtons de riz pendant 2 minutes, jusqu'à ce qu'ils soient bien gonflés et légèrement dorés. Égouttez-les et cassez-les éventuellement en morceaux.

4 Versez presque toute l'huile, gardez-en 2 c. à s. Faites-y rissoler vivement les crevettes, sur feu vif, en les remuant. Ajoutez les deux variétés de champignons et faites-les sauter également. Ajoutez ensuite le vin de riz et le bouillon ou l'eau, salez et portez à ébullition. Incorporez la fécule délayée et faites bouillir à nouveau.

5 Disposez les champignons aux crevettes sur le pourtour d'un plat creux, ajoutez la ciboule en garniture et mettez les croûtons de riz au centre.

POTAGES ET SOUPES

Un repas chinois qui se respecte, qu'il s'agisse de cuisine quotidienne ou d'un repas de fête, comporte obligatoirement une soupe ou un potage. À l'inverse des habitudes de table européennes, le potage n'est pas servi avant le plat principal, pour aiguiser l'appétit, mais, en général, après les plats de riz, pour clore le repas, lui donner en quelque sorte une agréable conclusion. En famille, on prépare couramment une grande quantité de potage qu'on consomme tout au long du repas et entre les différents plats. En revanche, à l'occasion des repas de fête, le potage est «bu» en dernier — car tel est le mot que l'on emploie en chinois, et c'est bien celui qui convient — puis sa garniture éventuelle est dégustée avec les baguettes. Il existe, de toute façon, un éventail très riche de potages en Chine, allant du simple bouillon à la soupe la plus nourrissante.

On mange la soupe dans de larges coupes — un peu plus petites que nos assiettes à soupe — avec des cuillères en porcelaine. Lors de ces repas de fête, compte tenu de l'abondance des plats qui ont précédé, les Chinois servent la soupe en plus petites quantités. C'est pourquoi les recettes qui suivent sont prévues pour quatre personnes. Si vous voulez donner plus d'importance à ces potages, vous pouvez très bien doubler les proportions.

Soupe aigre-piquante

Nord de la Chine • Plat raffiné   Suan La Tang

Pour 4 portions:
50 g de filet de porc
5 champignons séchés mu-err
50 g de tofu
30 g d'épinards
30 g de pousses de bambou
1 tronçon de poireau de 3 cm
2 ou 3 brins de coriandre
1/2 c. à s. d'huile de sésame
8 grains de poivre blanc
2 c. à s. de sauce de soja claire
1 c. à s. de fécule délayée dans 3 ou
4 c. à s. d'eau
2 œufs
2 c. à s. de vinaigre brun
1 c. à s. d'huile au poivre du Sichuan

Temps de préparation: 35 mn

Par portion: 680 kJ / 160 kcal

1 Mettez la viande dans une casserole, ajoutez 50 cl d'eau et portez à ébullition. Faites mijoter 15 minutes sur feu doux.

2 Faites tremper les champignons séchés pendant 10 minutes dans de l'eau chaude. Pendant ce temps, coupez le tofu en segments de 3 cm de long sur 1 cm de large. Lavez les épinards et coupez les feuilles en morceaux de 3 cm. Détaillez les pousses de bambou en bâtonnets. Parez le poireau et émincez-le. Lavez la coriandre et ciselez-la. Égouttez les champignons et taillez-les en languettes.

3 Entre-temps, mettez de l'eau à bouillir dans une seconde casserole. Faites-y blanchir épinards, champignons, tofu et pousses de bambou pendant 1 minute. Égouttez la viande et découpez-la en languettes. Conservez le bouillon.

4 Faites chauffer l'huile de sésame dans une casserole. Ajoutez le poivre et faites-le rissoler rapidement, puis retirez-le. Mettez le poireau et faites-le également rissoler, puis versez le bouillon et portez à ébullition. Ajoutez ensuite la viande et les autres ingrédients blanchis.

5 Ajoutez la sauce de soja, mélangez, incorporez la fécule délayée et donnez encore un tour de bouillon. Cassez les œufs dans un bol et battez-les en omelette. Versez-les en filet dans la soupe en remuant.

6 Incorporez le vinaigre et mélangez. Parsemez de coriandre et ajoutez en dernier l'huile au poivre du Sichuan.

Soupe de radis et crevettes

Nord de la Chine • Rapide   Luo Bo Hai Mi Tang

Pour 4 portions:
20 g de grosses crevettes séchées ou
100 g de grosses crevettes crues
100 g de radis blanc (daikon)
1 ciboule
2 c. à s. de saindoux
50 cl de bouillon de viande ou d'eau
1 c. à c. de vin de riz
1 brin de coriandre fraîche ou de la
ciboulette
sel

Temps de préparation: 30 mn

Par portion: 360 kJ / 86 kcal

1 Faites tremper les crevettes séchées dans de l'eau chaude pendant 10 minutes. Pendant ce temps, pelez le radis, fendez-le en deux dans la longueur, puis émincez-le finement.

2 Rincez les crevettes. (Si vous vous servez de crevettes crues, décortiquez-les.) Lavez, parez la ciboule et émincez-la finement.

3 Faites chauffer une casserole ou un wok. Ajoutez 1 c. à s. de saindoux, puis mettez-y la ciboule et faites-la revenir rapidement. Mouillez avec le bouillon ou l'eau et le vin de riz et faites chauffer.

4 Ajoutez le radis et les crevettes (si vous utilisez des crevettes fraîches, ajoutez-les dans la soupe au dernier moment). Faites cuire la soupe pendant 5 minutes environ sur feu moyen. Pendant ce temps, lavez la coriandre et ciselez-en les feuilles.

5 Écumez le bouillon. Salez et ajoutez 1 c. à s. de saindoux. Mélangez, puis ajoutez la coriandre et servez.

Note: En Chine, la soupe au radis fait figure de bouillon de santé pour les pauvres gens car elle augmente les capacités de défense de l'organisme.

Marmite chinoise

Nord de la Chine • Plat de fête Shi Jin Huo Guo

Pour 4 à 6 portions:
100 g de blanc de volaille
300 g de filet de porc ou de bœuf
200 g de grosses crevettes crues
100 g de jambon cru fumé
300 g de chou chinois
300 g d'épinards
20 g de gingembre frais
1 poireau
500 g de vermicelles transparents
50 g de pousses de bambou
100 g de shiitake frais
150 g de filet de poisson
150 g de tofu
2 ou 2,5 l de bouillon de volaille
sel • poivre du sichuan
200 g de boulettes de poisson
(voir page 122)
sauce de soja
huile pimentée
huile de sésame

Temps de préparation: 1 h

Par portion (pour 6):
4 100 kJ / 980 kcal

1 Emballez le blanc de volaille et la viande séparément dans du papier aluminium et mettez-les de 30 à 60 minutes au congélateur pour pouvoir ensuite les émincer plus facilement.

2 Pendant ce temps, décortiquez les crevettes à cru, détaillez le jambon en petites languettes, lavez le chou et les épinards. Pelez le gingembre, lavez le poireau et hachez-les finement.

3 Faites ramollir les vermicelles pendant 10 minutes à l'eau bouillante. Détaillez les pousses de bambou en fines lamelles. Selon leur taille, laissez les champignons entiers ou coupez-les en deux. Rincez le filet de poisson, épongez-le et coupez-le en petits dés. Détaillez aussi le tofu en dés.

4 Égouttez les vermicelles et coupez-les en petits morceaux avec des ciseaux de cuisine. Retirez le blanc de volaille et la viande du congélateur et détaillez-les en très minces lamelles.

5 Faites chauffer le bouillon de volaille, puis versez-le dans une marmite chinoise. Salez. Disposez sur la table, tout autour, les ingrédients précédemment préparés dans des coupelles.

6 Mettez les pousses de bambou, le jambon et les boulettes de poisson dans le bouillon et faites-les cuire jusqu'à la reprise de l'ébullition. Dégustez ces ingrédients en premier, puis faites cuire les autres, sauf le poireau et le gingembre, dans le bouillon, en les repêchant avec des baguettes.

7 Proposez en condiments sel et poivres du sichuan fraîchement moulu, sauce de soja, huile pimentée, huile de sésame, gingembre et poireau haché. Servez le bouillon pour terminer, en boisson.

Note: Si vous ne possédez pas de marmite chinoise, servez-vous d'un service à fondue.

La marmite chinoise

Les premières «marmites» sont apparues sous la dynastie Song (960-1279), mais c'est sous la dynastie Qing (1644-1911) que ce type de plat a connu son apogée. D'après les notes d'un cuisinier du palais attaché au service de l'empereur Qianlong (1736-1796), on apprend que ce plat était celui que son maître préférait par-dessus tout. À l'occasion d'une fête, dit-il, 530 tables furent dressées, avec autant de marmites préparées pour les convives. La marmite chinoise est restée très populaire et on la sert aussi bien lors des grands banquets que pour les simples fêtes familiales. Les Chinois l'apprécient en hiver comme en été. En été, ils la servent volontiers en plein air. En Chine, on

Ces jeunes mariés de Tian Jin savourent une marmite chinoise.

rencontre le plus souvent la marmite traditionnelle chauffée à la braise de charbon de bois, idéale pour cuisiner dehors. Il en existe d'autres modèles qui fonctionnent à l'électricité. L'intérêt de la marmite chinoise est de pouvoir rassembler tout le monde d'une manière conviviale, chacun se servant à volonté de ce qu'il préfère. Les ingrédients

doivent être coupés très menu pour pouvoir cuire rapidement dans le bouillon tout en restant croquants et parfumés. Pour plonger vos ingrédients dans le bouillon, vous pouvez vous servir de baguettes, de fourchettes à fondue ou des petites passoires métalliques qui font partie du service de la marmite chinoise.

Soupe aux cinq couleurs

Wu Se Tang Mian

Origine imprécise • Raffiné

Pour 4 portions:
100 g de grosses crevettes crues
100 g de blanc de volaille
sel
poivre blanc fraîchement moulu
1 c. à c. de vin de riz
1 poignée de feuilles d'épinards
1 ciboule
30 g de jambon cru fumé (2 fines tranches)
150 g de shiitake frais
150 g de nouilles en nid
50 cl de bouillon de volaille maison

Temps de préparation: 40 mn
(+ 30 mn de repos)

Par portion: 950 kJ/ 230 kcal

1 Décortiquez les crevettes à cru. Salez et poivrez le blanc de volaille et les crevettes, mettez-les dans un plat creux, arrosez de vin de riz et laissez mariner pendant 30 minutes.

2 Posez une tasse renversée dans le fond d'un faitout et versez de l'eau sur 3 cm de hauteur. Posez sur la tasse le plat contenant le blanc de volaille et les crevettes et faites cuire 15 minutes à la vapeur. Laissez refroidir. Coupez les crevettes en deux et émincez finement le blanc de volaille.

3 Lavez les épinards et coupez les feuilles en morceaux de 3 cm. Émincez la ciboule. Détaillez le jambon en carrés de 2 cm et les champignons en languettes.

4 Versez de l'eau dans une casserole et portez à ébullition. Faites blanchir les épinards et les champignons pendant 1 mibute. Rafraîchissez-les à l'eau froide et égouttez-les. Salez et poivrez.

5 Portez à ébullition une grande quantité d'eau dans une marmite et faites-y cuire les nouilles pendant 4 minutes. Égouttez-les à l'écumoire et mettez-les dans une soupière.

6 Faites bouillir le bouillon de volaille, salez. Disposez la ciboule, le blanc de volaille, les crevettes, les épinards, les champignons et le jambon sur les nouilles en alternant les couleurs, puis versez le bouillon délicatement dans la soupière et servez.

Soupe d'algues à l'ail

Dan Hua Zi Cau Tang

Origine imprécise • Rapide

Pour 4 portions:
2 ou 3 gousses d'ail
1 ciboule
1 feuille d'algues séchées (nori ou algues rouges)
2 œufs
sel
2 c. à s. d'huile végétale
2 c. à s. d'huile de sésame
50 cl de bouillon de volaille maison ou d'eau

Temps de préparation: 25 mn

Par portion: 810 kJ/190 kcal

1 Pelez les gousses d'ail et émincez-les. Parez la ciboule et émincez-la également. Effilochez les algues pressées en petites bouchées. Cassez les œufs, battez-les en omelette et salez.

2 Faites chauffer l'huile végétale dans une poêle. Versez-y les œufs et faites-les cuire en omelette sur feu doux pendant 1 ou 2 minutes jusqu'à ce que le dessus soit doré. Mettez l'omelette sur une assiette, laissez refroidir légèrement et découpez-la en losanges de 2 cm de long.

3 Faites chauffer 1 c. à s. d'huile de sésame dans une casserole. Ajoutez les

gousses d'ail et faites-les revenir rapidement. Ajoutez le bouillon, salez et portez à ébullition.

4 Mettez dans le bouillon les algues et les morceaux d'omelette. Pour servir, rajoutez goutte à goutte le reste d'huile de sésame et parsemez le dessus de ciboule émincée.

Note: On peut ne pas apprécier la saveur qu'apportent les algues dans le bouillon. Elle disparaît si vous ajoutez un peu de vinaigre brun ou de sauce de soja, mais, dans ce cas, la couleur du bouillon n'est plus aussi appétissante.

Soupe aux billes de poisson

Est de la Chine • Rapide Yu Yuan Bo Cai Tang

Pour 4 portions:
50 g de pousses de bambou
100 g de courgettes
50 g de champignons frais
2 fines tranches de gingembre frais
1 tronçon de poireau de 3 cm
1 c. à c. de vin de riz
300 g de filets de poisson
sel
2 blancs d'œufs
1 c. à s. de fécule
1 c. à s. de saindoux ou d'huile d'arachide
50 cl de bouillon de volaille maison
poivre blanc fraîchement moulu

Temps de préparation: 35 mn

Par portion: 1 200 kJ / 290 kcal

1 Détaillez les pousses de bambou en fines lamelles. Lavez les courgettes, fendez-les en deux dans la longueur, puis coupez-les en tranches fines. Lavez et émincez les champignons.

2 Pelez le gingembre, parez le poireau et coupez-les tous deux en petits morceaux. Mettez-les dans une coupe avec le vin de riz. Pressez-les fortement avec le dos d'une cuiller pour en extraire le jus, puis retirez-les.

3 Lavez les filets de poisson à l'eau froide, épongez-les et hachez-les très finement. Ajoutez-les dans la coupe contenant le vin de riz.

4 Ajoutez goutte à goutte à ce mélange 2 c. à s. d'eau en remuant toujours dans le même sens jusqu'à ce que la farce soit homogène. Incorporez les blancs d'œufs et la fécule et mélangez intimement.

5 Remplissez d'eau une marmite et portez à ébullition. Façonnez la farce de poisson en billes de 2 cm de diamètre et plongez-les dans l'eau bouillante. Laissez-les pocher jusqu'à la reprise de l'ébullition, puis sortez-les à l'aide d'une écumoire.

6 Faites chauffer le saindoux ou l'huile dans une poêle. Mettez-y les pousses de bambou, les courgettes et les champignons. Faites revenir le tout de 1 à 2 minutes sur feu vif. Égouttez les légumes et versez-les dans une soupière.

7 Faites bouillir le bouillon de volaille et salez-le. Ajoutez délicatement les billes de poisson et portez encore une fois à ébullition. Écumez et versez la soupe sur les légumes dans la soupière. Poivrez avant de servir.

Variante: Vous pouvez remplacer le poisson par du filet de porc maigre.

Note: On trouve, dans les magasins de produits asiatiques, des boulettes de poisson surgelées qui permettent de gagner du temps.

Soupe aux œufs en fleurs

Nord de la Chine • Rapide — Fan Qie Dan Hua Tang

Pour 4 portions:
2 ou 3 tomates olivettes
2 œufs
sel
1 ciboule
4 c. à s. d'huile végétale
poivre blanc fraîchement moulu

Temps de préparation: 30 mn

Par portion: 770 kJ / 180 kcal

1 Lavez les tomates, coupez-les en deux dans la longueur et détaillez-les en lamelles. Cassez les œufs, battez-les et salez-les. Parez la ciboule et hachez finement le vert et le blanc.

2 Faites chauffer l'huile dans une poêle. Ajoutez les tomates et faites-les rissoler sur feu vif en remuant pendant 2 minutes, jusqu'à ce qu'elles rendent leur jus et se défassent.

3 Ajoutez 40 cl d'eau et portez à ébullition. Salez. Versez les œufs battus en mince filet, en tournant toujours dans le même sens. Laissez-les pocher.

4 Versez la soupe dans des bols, parsemez de ciboule et poivrez.

Note: Pour que les «fleurs d'œufs» soient plus délicates, battez les œufs avec 1 ou 2 c. à s. d'eau froide.

Soupe de chou au lait

Origine imprécise • Rapide

Cai Ye Nai Tang

Pour 4 portions:
50 g de feuilles de chou chinois sans côtes dures
50 g de jambon cru fumé (2 tranches épaisses)
1 ciboule
1 c. à s. de saindoux
50 cl de bouillon de viande maison ou d'eau
sel
10 cl de lait
1 c. à s. de ciboulette hachée (facultatif)

Temps de préparation: 20 mn

Par portion: 430 kJ / 100 kcal

1 Lavez les feuilles de chou et déchirez-les en petits morceaux. Détaillez le jambon en dés. Lavez la ciboule, émincez finement le blanc et le vert.

2 Faites chauffer une casserole ou un wok. Faites-y fondre le saindoux et ajoutez la ciboule. Faites-la revenir en remuant sans cesse sur feu vif. Ajoutez le jambon et faites-le rissoler.

3 Versez l'eau ou le bouillon et portez à ébullition. Ajoutez le chou et faites bouillir 1 minute jusqu'à ce qu'il devienne bien vert. Salez. Écumez éventuellement.

4 Ajoutez le lait, mélangez et servez aussitôt. Garnissez éventuellement de ciboulette.

Note: On croit généralement que les Chinois n'aiment pas le lait; c'est une erreur. C'est uniquement le fromage qu'ils n'apprécient pas, car ils le considèrent comme du lait pourri. Toutefois, en Chine, le lait est une denrée rare, qui fut longtemps réservée aux enfants de moins de deux ans et aux personnes âgées ou malades, contre des bons d'alimentation spéciaux. Aujourd'hui, dans les grandes villes, on en trouve beaucoup plus facilement. Une fois que le lait est ajouté à la soupe, celle-ci ne doit plus bouillir, sinon le lait coagule et la soupe perd son bel aspect.

DESSERTS
ET DOUCEURS

En Chine, le repas se termine rarement par un dessert et, si dessert il y a, il s'agit en général d'une concession aux mœurs occidentales. Pourtant, les Chinois sont loin d'ignorer les douceurs et les gâteaux qu'ils préparent à l'occasion de fêtes ou que l'on propose avec le thé. Parmi les nombreuses friandises existantes, celles qui sont confectionnées avec de la pâte de lotus, du dosha (une pâte sucrée à base de haricots de soja rouges), du riz gluant ou de la fécule de riz sont tout particulièrement appréciées. Lors des fêtes, les Chinois se montrent d'une gourmandise étonnante et sont capables de grignoter des friandises toute la journée, entre les repas. Dans ce cas, les douceurs ont pour effet, comme les sorbets en Europe, de neutraliser le sens du goût. Si, pour votre part, vous servez des sucreries au dessert proprement dit, observez les principes suivants: après un repas copieux, proposez quelque chose de léger, par exemple un fruit ou une soupe sucrée; après un repas léger, voire végétarien, vous pouvez servir une spécialité un peu plus consistante, par exemple une friandise au riz gluant.

Boulettes au riz gluant

Est de la Chine • Un peu difficile   Zhi Ma Tang Tuan

Pour 6 portions:
200 g de graines de sésame noir
100 g de saindoux
150 g de sucre
250 g de farine de riz gluant

Temps de préparation: 45 mn
(+ 30 mn de repos)

Par portion: 2 500 kJ / 600 kcal

1 Versez les graines de sésame dans un bol d'eau. Retirez les enveloppes vides. Égouttez les graines, puis faites-les griller à sec dans une grande poêle sur feu moyen, en les remuant pendant 2 minutes, jusqu'à ce qu'elles soient bien sèches. Passez-les ensuite au robot ménager pour les réduire en purée fine ou écrasez-les avec un rouleau à pâtisserie.

2 Mélangez cette purée avec le saindoux et le sucre, puis faites fondre ce mélange sur feu doux en remuant. Versez la pâte dans un plat en la laissant s'étaler et mettez celui-ci au réfrigérateur 30 minutes. Lorsque la pâte est raffermie, formez des boules de 2 cm de diamètre.

3 Délayez la farine de riz avec environ 20 cl d'eau tiède. Quand la pâte est souple, pétrissez-la 3 à 5 minutes. Quand elle est brillante, roulez-la en boudin de 2 cm de diamètre. Découpez-le en tronçons de 3 cm, puis étalez ces portions de pâte en disques de 6 cm de diamètre. Veillez à ce que le milieu soit un peu plus épais que les bords.

4 Façonnez ces disques de pâte entre les mains pour les rendre bien plats et ronds. Posez une boule au sésame au centre de chaque disque et refermez ceux-ci avec précaution en évitant de les déchirer. Il vous faut travailler la pâte le plus vite possible pour l'empêcher de sécher; vous pouvez la protéger avec un torchon humide.

5 Remplissez une marmite d'eau. Portez à ébullition. Déposez-y les boules de pâte farcies avec précaution, à l'aide d'une écumoire. Remuez légèrement pour les empêcher de coller au fond du récipient. Faites-les cuire environ 5 minutes, jusqu'à ce qu'elles remontent à la surface. Égouttez-les et laissez-les tiédir. Au bout de quelques instants, la garniture est encore très chaude à l'intérieur.

Note: Ces boulettes sont traditionnelles en Chine le dernier jour des fêtes du Nouvel An, la fête des Lampions. On en prépare de grandes quantités et on les déguste le soir. Par leur forme ronde et leur consistance collante, elles symbolisent l'unité de la famille et la joie d'être ensemble. Le geste que l'on fait pour les confectionner s'appelle *tuan*, qui veut dire aussi embrasser, tandis que *yuan* désigne une forme ronde. Les deux mots accolés signifient être ensemble, réunir. Aujourd'hui on mange aussi ces boulettes au riz gluant à l'occasion du Nouvel An occidental et en général en hiver. Comme elles sont très chaudes, elles sont très réconfortantes quand il fait froid et mauvais. Des marchands ambulants les proposent dans les rues. Vous pouvez remplacer la farce au sésame par de la pâte de haricots de soja rouges sucrée (achetée toute faite, sous le nom de Bing Tang Hong Dou Sha). Les boulettes sont également délicieuses quand elles sont un peu plus grosses et cuites dans un bain de friture.

Gâteau de riz gluant

Origine imprécise • Plat de fête

Ba Bao Fan

Pour 6 à 8 portions:
500 g de riz gluant
1 c. à s. bombée de saindoux
30 g de dattes confites,
chinoises de préférence
4 ou 5 abricots secs
3 c. à s. de cerneaux de noix
2 c. à s. de raisins secs
30 g de graines de lotus en boîte
2 c. à s. de graines de tournesol
1/2 boîte de pâte sucrée de
haricots rouges de soja ou
de pâte sucrée de lotus
4 ou 5 c. à s. de sucre ou de miel
1 c. à s. de fécule délayée dans
3 c. à s. d'eau

Temps de préparation: 1 h 30

Par portion (pour 8):
2 100 kJ / 500 kcal

1 Lavez soigneusement le riz dans une passoire, puis versez-le dans une jatte et ajoutez 75 cl d'eau.

2 Posez une tasse à l'envers dans le fond d'un faitout et versez de l'eau dans celui-ci sur une hauteur de 3 cm. Posez sur la tasse la jatte avec le riz et mettez un couvercle sur le faitout. Faites cuire à la vapeur à forte ébullition pendant 30 minutes, jusqu'à ce que le riz soit bien tendre.

3 Pendant ce temps, enduisez de la moitié du saindoux un moule rond assez grand. La meilleure solution consiste à mettre le saindoux dans le moule, à chauffer celui-ci rapidement et à le répartir ensuite sur les parois en faisant tourner le moule. Mettez-le au réfrigérateur pour que la graisse

fige. Incorporez le reste de saindoux au riz.

4 Lavez les dattes et coupez-les en deux, rincez les abricots, essuyez-les et coupez-les en petits dés, hachez grossièrement les noix, lavez les raisins secs et épongez-les.

5 Répartissez dans le moule, d'une manière décorative, en forme de fleur par exemple, graines de lotus, dattes, abricots, noix, raisins et graines de tournesol.

6 Versez délicatement la moitié du riz dans le moule, étalez dessus la pâte de haricots de soja ou de lotus, puis

recouvrez cette dernière du reste de riz. Pressez un peu le dessus.

7 Posez le moule sur une tasse renversée dans une grande marmite, contenant 4 cm d'eau, et faites cuire à couvert à la vapeur à forte ébullition pendant 5 minutes environ, jusqu'à ce que le gâteau soit bien chaud.

8 Pendant ce temps, mélangez le sucre ou le miel dans une casserole avec20 cl d'eau. Ajoutez la fécule et faites chauffer en remuant jusqu'à consistance sirupeuse.

9 Démoulez délicatement le gâteau et nappez-le de sauce au sucre.

Variantes: Pour la sauce, vous pouvez remplacer le sucre par de la marmelade (sans morceaux de fruits) ou de la gelée. Préparez-la également avec de l'eau et de la fécule. La couche de pâte aux haricots de soja ou de lotus peut, elle aussi, être remplacée par de la marmelade.

Avec les mêmes ingrédients que ceux de cette recette, vous pouvez par ailleurs préparer une bouillie de riz. À la place des graines de lotus en boîte, vous pouvez utiliser des graines de lotus séchées: il faut les faire gonfler à l'eau froide pendant au moins 8 heures en changeant souvent l'eau pour que les graines ne prennent pas un goût amer.

Note: L'impératrice douairière Tseu-hi (1835-1908) aimait tant ce gâteau qu'elle en fit un véritable plat impérial. L'un de ses cuisiniers, lorsqu'il fut très âgé, revint dans son pays natal, Jiangsu, et y répandit la recette au point qu'elle passe aujourd'hui pour une spécialité de cette région. L'opération qui consiste à répartir les ingrédients sur les flancs du moule avant d'y verser le riz gluant n'est pas très commode; pour la réaliser plus facilement, il est préférable de choisir comme moule un saladier bien arrondi.

Gelée sucrée Yin Yang

Origine imprécise • Un peu difficile **Tai Ji Tian Lu**

Pour 4 portions:
6 feuilles de gélatine (10 g environ)
250 g de groseilles rouges ou 25 cl
de jus de groseilles rouges
150 g de sucre
25 cl de lait
Pour décorer:
1 cerise
1 graine de lotus en boîte

Temps de préparation: 30 mn
(+ 1 h de prise au froid)

Par portion: 940 kJ / 225 kcal

1 Faites ramollir la gélatine à l'eau froide pendant 10 minutes environ.

2 Pendant ce temps, lavez les groseilles et égrappez-les. Faites-les crever dans une casserole avec 15 cl d'eau, puis laissez-les mijoter pendant 10 minutes sur feu moyen.

3 Pressez les fruits à travers un linge pour obtenir environ 25 cl de jus.

4 Faites à nouveau bouillir le jus en ajoutant 100 g de sucre. Pressez la moitié de la gélatine entre vos mains et ajoutez-la au jus précédent en remuant.

5 Dans une autre casserole, faites bouillir le lait avec le reste de sucre et ajoutez le reste de gélatine en la faisant dissoudre.

6 Prenez une feuille de carton ou de papier assez fort et pliez-la en forme de S; placez-la au centre d'une jatte. Versez la préparation au lait d'un côté et celle aux groseilles de l'autre côté.

7 Mettez la jatte au réfrigérateur pendant environ 1 heure. Lorsque la gelée est prise, posez la cerise sur le côté clair et la graine de lotus sur le côté rouge.

Bouillie de riz Laba

Origine imprécise • Un peu long **La Ba Zhou**

Pour 8 portions:
50 g de haricots rouges de soja
séchés (adzuki)
100 g de riz (parfumé ou rond)
100 g de riz gluant
100 g de millet
100 g de dattes confites,
chinoises de préférence
50 g de cacahuètes non grillées
20 g de cerneaux de noix
20 g de graines de tournesol
100 g de sucre blanc
100 g de sucre roux

Temps de préparation: 1 h 30

Par portion: 1 400 kJ / 330 kcal

1 Mettez les haricots séchés dans une jatte avec de l'eau bouillante et laissez-les gonfler pendant 20 minutes. Pendant ce temps, lavez les deux variétés de riz et le millet, puis égouttez-les.

2 Lavez également les dattes.

3 Versez 1 litre d'eau dans une casserole et portez à ébullition. Ajoutez les haricots rouges et faites cuire à couvert sur feu doux pendant 30 minutes.

4 Ajoutez les deux riz, le millet, les noix, les cacahuètes, les graines de tournesol et les dattes. Poursuivez la cuisson pendant 20 minutes encore.

5 Dès que le riz épaissit, ajoutez les deux sucres et remuez pour faire fondre. Répartissez ensuite la bouillie dans des coupes et servez aussitôt, sinon le riz sèche très vite.

Note: Les dattes chinoises sont plus petites que les dattes d'Afrique et sont de couleur rouge vif. Selon l'âge qu'ils ont, les haricots rouges peuvent avoir un temps de cuisson variable. Pour plus de prudence, prévoyez davantage de temps pour la préparation ou bien laissez-les tremper toute la nuit.

Gelée aux morilles argentées

Est de la Chine • Assez long

Bing Tang Yin Er

Pour 6 à 8 portions:
40 g de morilles blondes séchées
de 150 à 200 g de sucre candi
2 ou 3 mandarines, fraîches
ou en boîte

Temps de préparation: 20 mn
(+ 20 mn de trempage,
+ 3 h 30 de cuisson)

Par portion (pour 8):
470 kJ / 115 kcal

1 Faites tremper les morilles dans de l'eau bouillante pendant 20 minutes. Quand elles sont bien ramollies, lavez-les et coupez les queues.

2 Mettez les morilles dans une jatte en porcelaine à feu, ajoutez le sucre, mélangez et couvrez d'eau.

3 Posez une tasse à l'envers dans une marmite et versez de l'eau dans celle-ci sur 4 cm. Posez la jatte sur la tasse, couvrez la marmite et laissez cuire à la vapeur sur feu moyen de 3 heures à 3 heures 30, jusqu'à ce que la préparation épaississe. Rajoutez de l'eau dans la marmite pour conserver le niveau. Plus la cuisson des morilles est longue, plus la préparation se gélifie.

4 Goûtez les morilles pour voir si elles sont assez sucrées. Épluchez les mandarines et séparez-les en quartiers. Plongez-les quelques instants dans de l'eau bouillante. Égouttez-les et ajoutez-les aux morilles.

Note: Dans la médecine chinoise traditionnelle, les morilles sont recommandées contre l'hypertension. En Chine, on sert ce plat en général chaud, mais en été on le met au réfrigérateur pour le servir froid. Si vous voulez donner à cette gelée une présentation plus attrayante, ajoutez aux mandarines des cerises, des grains de raisin et des quartiers d'ananas.

Crème aux noix

Nord de la Chine • Facile   **Hu Tao Lao**

Pour 6 portions:
200 g de cerneaux de noix
sel
20 abricots secs
50 g de farine de riz gluant
20 g de raisins secs
120 g de sucre

Temps de préparation: 1 h

Par portion: 1 500 kJ / 360 kcal

1 Versez de l'eau dans une casserole et portez à ébullition. Mettez les noix dans une jatte et arrosez-les d'eau bouillante en ajoutant une pincée de sel. Laissez reposer quelques instants, puis égouttez et pelez les cerneaux. Lavez les abricots, épongez-les et coupez-les en petits morceaux.

2 Réduisez les cerneaux en poudre fine au mixeur; mélangez-les avec 20 cl d'eau. Mélangez par ailleurs la farine de riz dans une jatte avec 10 cl d'eau.

3 Versez le mélange aux noix dans une casserole et portez à ébullition. Incorporez la farine de riz délayée en remuant sans cesse. Faites cuire cette crème sur feu doux jusqu'à ce qu'elle épaississe, en remuant sans cesse pour l'empêcher de coller au fond de la casserole.

4 Lavez les raisins secs et épongez-les. Ajoutez à la crème le sucre, les abricots et les raisins secs. Servez ce dessert chaud ou froid.

Note: Comme décor final, vous pouvez ajouter des amandes effilées ou des fruits confits émincés. Si jamais la crème aux noix commence à attacher et risque de brûler, versez-la dans une autre casserole et ne remuez plus, sinon l'amertume du brûlé va se propager dans la crème.

Pommes glacées

Nord de la Chine • Plat de fête

Liu Li Ping Guo

Pour 4 portions:
500 g de pommes acides
1 jaune d'œuf
40 g de fécule
100 g de farine environ
60 cl d'huile de friture
150 g de sucre
2 c. à s. de graines de sésame claires

Temps de préparation: 35 mn

Par portion: 2 300 kJ / 550 kcal

1 Pelez les pommes, coupez-les en quatre et retirez-en les cœurs. Recoupez chaque quartier en quatre dans la longueur de manière à obtenir 16 morceaux dans chaque pomme.

2 Mélangez le jaune d'œuf avec la fécule et 6 cl d'eau environ. Cette pâte doit être assez fluide pour enrober facilement les tranches de pomme. Passez celles-ci d'abord dans la farine, puis dans la pâte.

3 Faites chauffer l'huile dans une grande poêle à hauts bords. Elle est à bonne température lorsque des petites bulles se forment le long d'une baguette en bois trempée dedans. Plongez les pommes par fractions dans la friture pendant environ 2 minutes. Quand elles sont bien dorées, retirez-les avec une écumoire et égouttez-les.

4 Jetez presque toute l'huile et baissez le feu au maximum. Versez le sucre dans la pellicule d'huile qui reste et faites-le fondre en remuant, puis montez le feu jusqu'à l'apparition de petites bulles. Remettez les tranches de pomme dans la poêle, puis retirez celle-ci du feu et remuez rapidement les pommes dans le sucre fondu en ajoutant les graines de sésame.

5 Déposez les pommes sur une tôle tapissée de papier d'aluminium en les espaçant pour qu'elles ne collent pas entre elles. Laissez refroidir légèrement puis servez.

Variante: Vous pouvez aussi faire frire les pommes sans les enrober, puis les napper de miel liquide. Vous pouvez remplacer les pommes par des bananes, de l'ananas ou des poires.

Soupe de haricots au riz

Province de Canton • Plat raffiné

Hong Dou Yuan Zi Tang

Pour 4 à 6 portions:
250 g de haricots rouges de soja séchés (adzuki)
100 g de farine de riz gluant
100 g de sucre environ

Temps de préparation: 30 mn (+ 2 h de cuisson)

Par portion (pour 6):
1 700 kJ / 400 kcal

1 Versez de l'eau dans une casserole et portez à ébullition. Ajoutez les haricots et faites-les cuire à gros bouillons pendant 2 minutes environ, puis égouttez-les. Remettez-les dans la casserole, ajoutez 1,5 litre d'eau froide et portez à nouveau à ébullition. Laissez cuire à couvert sur feu doux pendant 2 heures environ en rajoutant de l'eau de temps en temps, jusqu'à ce qu'ils soient bien tendres.

2 Mélangez la farine de riz avec 7,5 cl d'eau bouillante, puis ajoutez 2 c. à s. d'eau froide. Pétrissez la masse obtenue jusqu'à ce que la pâte soit bien lisse. Avec cette pâte, formez des billes grosses comme des noisettes. Plus elles sont petites, meilleures elles sont. Portez à ébullition une casserole d'eau.

3 Plongez les billes de pâte dans l'eau bouillante et faites-les cuire de 1 à 2 minutes sur feu moyen. Quand elles remontent à la surface, égouttez-les.

4 Remuez la soupe à fond avec une spatule et incorporez le sucre, plus ou moins selon votre goût. Ajoutez les billes de pâte et servez.

Suggestions de menus

Lors d'un repas chinois, on peut servir — en fonction du nombre de convives — 4, 6 ou 8 plats différents, ou même davantage, sans compter la soupe. La plupart des recettes proposées dans cet ouvrage correspondent à «un plat chinois» — quantité qui suffit pour 2 personnes si vous servez ce plat seul avec une soupe. Pour une tablée plus nombreuse, on compte 4 plats pour 6 personnes, avec, en plus, une soupe et un dessert.

Pour composer un repas, fiez-vous en règle générale à vos goûts personnels et tenez compte des produits de saison. Cependant, si vous voulez servir un vrai repas chinois, vous devrez observer certaines règle et, en plus, respecter le principe du yin et du yang, à savoir un certain équilibré entre les divers plats.

Règles de base:

• Pas trop de fritures, ni trop de viande ou de poisson, ou encore trop de plats faits uniquement à base de légumes. Si vous choisissez, par exemple, de cuisiner quatre plats différents, prenez, de préférence, un plat de viande, un plat de poisson et deux plats essentiellement à base de légumes, de tofu ou d'œufs. La solution du repas végétarien n'est, bien entendu, pas à exclure.

• Pas de saveurs trop uniformes. Préparez, par exemple, un plat à saveur douce et un autre légèrement piquant.

• Pour les repas de fête, l'habitude, en Chine, est de servir tous les plats froids en même temps puis de servir, ensuite, les plats chauds les uns après les autres.

• En Chine, un repas réussi n'est pas seulement bon — ce qui est la moindre des choses — il dégage aussi un parfum agréable et charme par ses couleurs qui doivent être en harmonie les unes avec les autres. Si, par exemple, vous préparez un plat à base de tomates et un autre à base de poivrons, choisissez des poivrons verts, afin de ne pas servir à vos convives un repas «trop rouge».

• Pour la décoration, laissez libre cours à votre imagination...
Décorez les potages de ciboulette hachée ou de feuilles de coriandre.
Réhaussez les plats aux couleurs sombres de rondelles de concombre que vous découperez, par exemple, en forme de fleurs.
La forme des ingrédients est, en effet, également très importante. Variez-la: découpez des languettes, des bâtonnets, des cubes, des fleurs, des animaux, etc. et laissez le produit principal — un poisson, par exemple — en entier.

• Planifiez le plus parfaitement possible le déroulement de votre repas. Préparez, découpez, pelez, détaillez, etc., à l'avance — et réservez dans des coupes — tous les ingrédients qui peuvent l'être, afin de les avoir sous la main lorsque vous devrez les mettre dans le wok ou la poêle. Certains plats, telles les soupes, peuvent même se cuire à l'avance — vous n'aurez qu'à les réchauffer et ajouter la garniture au dernier moment.

• Pour un vrai repas chinois, prévoyez des bols en porcelaine et des baguettes en bois. Toutefois, si, compte tenu du style de vos convives, vous le jugez nécessaire, vous pouvez prévoir couteaux et fourchettes — tout le monde ne sait pas se servir de baguettes ou n'a pas forcément envie de le faire!
Si vous optez pour les couverts à l'occidentale, dressez la table avec des assiettes car, se servir d'un couteau et d'une fourchette dans une coupe ou un bol n'est pas très facile.
En revanche, si vous vous servez de baguettes, n'hésitez pas à tenir votre bol relativement haut — assez près de la bouche —, comme le font les Chinois. Agir autrement n'est pas mal élevé en Europe, mais les Chinois tiennent pour un signe de bonne éducation de ne pas laisser son bol posé sur la table. Vous pouvez même vous aider de vos baguettes pour pousser sur votre langue les dernières bouchées que vous râclerez minutieusement au fond de votre bol.

Si vous désirez organiser quelques repas à la chinoise avec vos amis, vous pouvez vous inspirer des différents exemples de menus que nous vous donnons ici, mais vous pouvez aussi inventer à votre guise, en puisant dans les recettes de cet ouvrage et en vous rappelant toujours qu'un repas chinois doit être bon, mais aussi équilibré et harmonieux.

Menu pour 6 personnes

Seiche en épis	72
Porc à l'aigre-doux	48
Tomates aux œufs	90
Aubergines frites	77
Soupe aigre-piquante	117
Boulettes au riz gluant	129

Menu pour 8 personnes

Germes de soja aux œufs	32
Bœuf au céleri	43
Porc au parfum de poisson	48
Crevettes aux champignons	70
Œufs au poisson	89
Croûtons de riz aux pleurotes	112
Soupe aux billes de poisson	122
Crème aux noix	135

Pique-nique ou buffet froid pour 8 personnes

Pâtés impériaux (servis froids à cette occasion)	108
Nouilles froides aux 4 sauces	98
Tofu aux ciboules	39
Salade de poulet	36
Crevettes cristal	39
Champignons aux haricots verts	78
Soupe aux œufs en fleurs (excellente froide également)	124
Gâteau de riz gluant	130

Repas végétarien pour deux

Brioches aux haricots verts	107
Soupe de chou au lait	125
Gelée aux morilles argentées	134

Repas végétarien pour 6 ou 8 personnes

Aubergines frites	77
Champignons aux haricots verts	78
Germes de soja au poivron	80
Chou blanc sauce piquante	81

Tofu à la Ma Po	84
Tomates aux œufs	90
Crème aux noix	135

Menus de printemps

Composition de printemps	89
Beignets de poisson en sauce	63
Bœuf à la tomate	44
Soupe d'algues à l'ail	120
Gâteau de riz gluant	130
Seiche en épis	72
Pâtés impériaux	108
Croûtons de riz aux pleurotes	112
Soupe de chou au lait	125

Menus d'été

Vermicelles aux épinards	33
Tofu aux ciboules	39
Poisson à la vapeur	66
Soupe aux œufs en fleurs	124
Gelée aux morilles argentées	134
Crevettes cristal	39
Boulettes en aumônières	52
Champignons sautés	78
Soupe aux billes de poisson	122

Menus d'automne

Salade de poulet	36
Aubergines frites	77
Crevettes frites	68
Soupe aigre-piquante	117
Fruits frais	
Bœuf au céleri	43
Tofu deux fois cuit	83
Œufs au poisson	89
Soupe aigre-piquante	117

Menus d'hiver

Rouleaux en feu d'artifice	30
Marmite chinoise	118
Bouillie de riz Laba	132

Bœuf au radis	42
Agneau au poireau	47
Chou blanc sauce piquante	81
Soupe d'algues à l'ail	120

Repas de fête pour 8 personnes

Omelettes du bonheur	34
Concombre piquant	29
Vermicelles aux épinards	33
Petites boulettes farcies	50
Bœuf à la sauce d'huître	46
Crevettes aux tomates	71
Tofu deux fois cuit	83
Soupe de chou au lait	125
Soupe d'algues à l'ail	120
Gelée aux morilles argentées	134

Menus des fêtes chinoises traditionnelles

Fête du Printemps

Radis à l'aigre-doux	34
Omelettes du bonheur	34
Salade de poulet	36
Poisson braisé au poireau	68
Ravioli chinois	104
Fruits frais (mandarines par exemple)	

Fête des Lanternes
(15e jour après la fête du Printemps)

Petites boulettes farcies	50
Poulet sauce piquante	56
Poisson farci	62
Crevettes aux tomates	71
Wonton à la poêle	103
Boulettes au riz gluant	129

Fête de la Lune
(entre septembre et octobre)

Canard croustillant	57
Poisson à l'aigre-doux	64
Aubergines frites	77
Œufs aux cinq parfums	91
Tofu sauté	86
Gâteaux de lune (en vente dans les magasins de produits asiatiques)	
Fruits frais	

Glossaire

Abalones: Variété d'ormeaux que l'on trouve en Europe surtout en conserve (à faire sauter ou ingrédient de potage).

Adzuki: Haricots rouges secs.

Agar-agar: Extrait d'algues marines utilisé comme liant ou gélifiant dans les desserts.

Algues: On les utilise en Chine pour fabriquer le *glutamate et l'*agar-agar, mais également sous forme séchée pour des plats sucrés ou salés.

Anis étoilé ou badiane: Cette épice orientale est plus puissante et plus piquante que l'anis commun.

Baguettes: On distingue les baguettes de bois très longues qu'on utilise en cuisine pour remuer les ingrédients à cuire et les baguettes de table, plus courtes, faites de différents matériaux: bois brut pour les plus modestes, ivoire pour les plus précieuses.

Bambou (pousses de): Les petites pousses de cette plante exotique se différencient, en Chine, selon la période de récolte — été ou hiver. Les meilleures sont les pousses d'hiver. En Europe, on ne trouve pratiquement que des pousses en boîte.

Bok Choy: Ce légume à feuilles tient à la fois du chou et de la blette, mais il possède une saveur caractéristique.

Champignons mu-err: Ce sont des champignons séchés, appelés également «oreilles de bois»; ils sont décoratifs et d'une saveur douce et aromatique. Voir page 78.

Châtaignes d'eau ou mâcres: Ce sont les tubercules d'une plante des marais, qui poussent sous terre, le long des racines. On les achète en boîtes dans les magasins de produits asiatiques.

Chou chinois: C'est la variété de chou asiatique la plus connue; on l'appelle également chou de Pékin. Idéal pour les soupes et les plats de viande, en garniture ou même en salade.

Ciboule: Les jeunes ciboules fraîches sont indispensables dans la cuisine chinoise; on les utilise à la fois comme légume et comme aromate.

Ciboulette chinoise: Elle ressemble à la variété européenne, mais son goût est plus fort et ressemble à celui de l'ail.

Cinq-épices: Mélange d'épices en poudre qui comprend généralement du poivre noir, du fenouil, de l'anis étoilé, des clous de girofle et de la cannelle, mais la composition du mélange peut varier d'une région à l'autre. On l'appelle aussi Cinq parfums.

Concombre de mer: Cet échinoderme (holothurie) apparenté à l'étoile de mer ou à l'oursin est très apprécié des Chinois, mais on le trouve rarement sur le marché en Europe compte tenu de son aspect assez repoussant.

Coriandre: C'est l'un des aromates les plus anciens du monde; les Chinois la connaissent depuis des siècles. Dans la cuisine chinoise, ce sont les feuilles fraîches que l'on utilise, et non les graines de la plante.

Couperet: Pour détailler, hacher, émincer les légumes, le poisson et la viande, le couperet est un ustensile de base absolument indispensable; on en trouve dans les magasins de produits asiatiques.

Crevettes séchées: Ces crevettes salées et séchées au soleil se conservent très longtemps; les meilleures sont rose vif.

Cuiseur à vapeur en bambou: L'un des ustensiles les plus importants de la batterie de cuisine chinoise. Voir page 51.

Dattes chinoises: Ce sont les jujubes, elles sont assez petites, rougeâtres et moins sucrées que les dattes d'Afrique.

Farine de riz gluant: Cette farine extraite de la variété de riz gluant permet de confectionner des pâtes qui ont une consistance élastique et caoutchouteuse.

Fécule de maïs: Très blanche et très fine, cette poudre sert à la fois à enrober des aliments avant de les faire frire et à lier les sauces.

Fleurs de lis: On en trouve, séchées, dans les magasins de produits asiatiques. On les appelle aussi aiguilles d'or.

Gingembre: Avec l'ail et le poireau, c'est l'aromate le plus important de la cuisine chinoise; pour conserver très longtemps un rhizome de gingembre frais, les Chinois l'enterrent dans un pot de fleur sous une épaisse couche de sable. Voir page 67.

Glutamate: Exhausteur de goût à base d'algues, de céréales ou de légumineuses; les plats présentés dans cet ouvrage sont cuisinés sans glutamate, certaines personnes étant allergiques à cet additif — le fameux «syndrome du restaurant chinois» se manifeste par des maux de tête, des sensations de surdité et des nausées.

Gombo chinois: Ce légume mucilagineux de forme allongée se cuisine à peu près comme les courgettes.

Haricots (pâte de): Il en existe de 3 sortes: la piquante (La Dou Ban Jiang), à base de haricots jaunes et noirs, d'ail et de piment; la salée (Tian Mian Jiang), à base de haricots jaunes et de farine de riz, qu'on utilise pour le canard à la pékinoise et les plats de viande; et la sucrée (Hong Don Sha), à base de haricots rouges et de sucre, qu'on utilise pour les desserts.

Haricots noirs: Haricots de soja noirs, assaisonnés de sel et de gingembre.

Huile pimentée: Voir page 37.

Huile de sésame: À base de graines de sésame grillées, elle s'emploie surtout comme condiment. Voir page 37.

Huître (sauce d'): Sauce assez épaisse à base de *sauce de soja, d'extrait d'huîtres et d'épices que l'on utilise surtout pour cuisiner le bœuf.

Igname: Il existe plus de 200 variétés de

ce tubercule voisin de la patate douce. En Chine, on l'emploie surtout pour confectionner des entremets sucrés, car la pulpe est riche en amidon et en fécule.

Jambon: Dans les recettes chinoises, on utilise essentiellement du jambon cru fumé, proche des jambons italiens.

Lotus (graines de): Les graines de cette plante aquatique de la famille des nénuphars sont utilisées, en Chine, essentiellement pour confectionner ou décorer des sucreries telles que la bouillie de riz Laba. On les apprécie aussi sous la forme de pâte sucrée entrant dans diverses farces. Les graines de lotus séchées exigent un trempage prolongé, sinon elles sont amères: utilisez de préférence les graines de lotus en boîte.

Marmite chinoise: Ustensile de cuisine utilisé pour confectionner et servir la marmite (ou fondue) chinoise, qui réunit différentes viandes et légumes dans du bouillon. Voir page 119.

Melon d'hiver: Cette variété de courge a une saveur proche de celle d'un chou-rave très tendre; on l'emploie dans les plats de viande et les soupes.

Nids d'hirondelles: Ces nids d'une variété d'hirondelles de la mer de Chine, les salanganes, sont confectionnés avec des algues; on peut les acheter séchés ou en boîte.

Œufs de cent ans: Spécialité chinoise faite d'œufs enrobés dans une pâte de chaux et enterrés pendant une centaine de jours — quand on les coupe en deux, le blanc est devenu couleur d'ambre jaune et le jaune vert pâle.

Persil chinois: Voir Coriandre.

Piments: La cuisine chinoise les emploie surtout sous la forme séchée. C'est en les écrasant finement que l'on fait ressortir leur piquant; car la saveur pimentée est surtout fournie par les graines qui sont à l'intérieur des gousses.

Poivre du Sichuan: Cette variété de poivre connue également sous le nom de poivre en fleur fournit des grains qui ressemblent à de petits boutons floraux; ce sont en fait les baies séchées d'un arbrisseau de la famille des agrumes.

Radis chinois: Il est à la fois plus gros et plus doux que le radis européen. On le trouve sous le nom japonais de daikon. (Si vous n'en trouvez pas, prenez des radis noirs ou blancs d'Alsace que vous choisirez très jeunes.)

Riz: C'est la base de l'alimentation chinoise; il en existe d'innombrables variétés; approvisionnez-vous de préférence dans un magasin de produits asiatiques authentiques.

Riz gluant ou collant: On l'emploie surtout pour des farces ou pour façonner des boulettes. Voir page 110.

Sauce au crabe: À base de crustacés fermentés, cette sauce est assez salée; on l'emploie pour relever calamars, crevettes, soupes et légumes.

Sauce Hoisin: Épaisse et aigre-douce, à base de haricots de soja, de sucre, de vinaigre, d'ail, de piment et d'huile de sésame, elle est utilisée sur table, comme condiment, pour y tremper les mets.

Sauce au piment: Ce condiment très piquant, à base de piments rouges, s'emploie pour cuisiner mais aussi comme sauce d'appoint sur la table.

Sauce au poisson: Condiment salé et très aromatique, voisin du nuoc mam vietnamien.

Sauce aux prunes: Condiment de table très piquant, à base de prunes, de piments, de vinaigre et de sel.

Sauce de soja: Condiment de base de la cuisine chinoise; on en trouve différentes variétés plus ou moins piquantes. Voir page 99.

Sauté: Ce mode de cuisson est très répandu dans la cuisine chinoise, car il permet de faire cuire rapidement dans la poêle ou le wok, en les remuant sans cesse, des ingrédients qui restent tendres et croquants.

Sésame: On trouve deux variétés de graines de sésame, les claires et les noires; elles interviennent surtout dans la préparation des pâtisseries. Il existe aussi une autre préparation utilisée en cuisine, la pâte de sésame: achetez-la de préférence dans les magasins de produits diététiques (sous le nom de tahin), car celle que l'on trouve dans les épiceries asiatiques est généralement trop vieille ou rance, donc très amère.

Shiitake: Cette variété de champignons est la plus utilisée dans la cuisine chinoise; on les appelle aussi tongku. Voir page 78.

Soja (haricots de): Le soja est originaire d'Asie orientale, mais, aujourd'hui, on le cultive dans le monde entier. Il fournit de très nombreux produits utilisés dans la cuisine chinoise: *tofu, germes de soja, vermicelles, sauces, etc.

Soja (germes de): Les germes du soja sont meilleurs quand ils sont bien frais et très jeunes; ils sont très riches en protéines; choisissez de préférence les germes du haricot mungo, qui sont d'une saveur plus délicate.

Tofu: Préparation à base de lait de soja caillé et pressé; ce fromage de soja s'achète dans les magasins de produits asiatiques ou diététiques. Voir page 84.

Vapeur (cuisson à la): C'est un mode de cuisson très répandu en Chine qui préserve bien les aliments. Voir page 51.

Varech: Il en existe deux variétés, un vert et un rouge foncé, qui sont tous les deux disponibles séchés.

Vermicelles transparents: Très fins vermicelles fabriqués avec de la farine de haricots mungo. Voir page 94.

Vin de riz: En Chine, on le boit froid ou chaud, dans des petits godets; c'est aussi un condiment important de la cuisine. Voir Vinaigre.

Vinaigre: Dans la cuisine chinoise, on utilise essentiellement du vinaigre brun, à base de riz. Le meilleur est le vinaigre doux de Zhenjiang. Mais, en France, il n'est pas toujours très facile de s'en procurer. Si vous ne trouvez pas de vrai vinaigre chinois, prenez à la place du vinaigre balsamique italien.

Wok: Cet ustensile de cuisine est indispensable pour réussir de vraies recettes chinoises: les ingrédients y sont mis à sauter les uns après les autres, avant d'être réunis tous ensemble pour constituer un plat; comme le feu reste vif, la cuisson se fait rapidement et préserve ainsi la couleur, la saveur et le croquant.

Abréviations:
c. à c. = cuillerée à café
c. à s. = cuillerée à soupe
kJ = kilojoule
kcal = kilocalorie

Index des recettes

* Les mots en italique font référence non pas à des recettes, mais à des titres de chapitres.

Couverture: On fait revenir les crevettes frites dans une sauce au gingembre et au poireau *(recette page 68)*. Avant de manger les raviolis chinois à la viande *(recette page 104)*, on les trempe dans un mélange d'huile de sésame et de vinaigre. Les petites boulettes farcies — mélange de porc hâché, de châtaignes d'eau et de gingembre, enrobé de riz — se cuisent à la vapeur, dans un récipient en bambou *(recette page 50)*.

ÉDITIONS TIME-LIFE

LES GRANDES TRADITIONS CULINAIRES
CHINE

ÉDITION FRANÇAISE
Direction: Dominique Aubert
Secrétariat d'Édition: Catherine Cullaz
Composition: John Booly, Paulette Poussin
Conseiller technique: Michael A. Barnes

Traduit de l'allemand par Sylvie Girard

Titre original: *Küchen der Welt — China*
Un publication Gräfe und Unzer Verlag GmbH, Munich
© 1993 Gräfe und Unzer Verlag GmbH, Munich

Publié en français par Time-Life Books B.V., Amsterdam
Authorized French language edition
© 1993 Time-Life Books B.V.
First French printing 1993

TIME-LIFE is a trademark of Time Warner Inc. U.S.A.

ISBN 2-7344-0668-3

Photogravure par Fotolito Longo, Bolzano, Italie
Photocomposition par DS Type S.A., Bruxelles, Belgique
Impression et reliure par Mondadori, Vérone, Italie
Dépôt légal: décembre 1993

GRÄFE UND UNZER

ÉDITEURS: Stefanie von Werz-Kovacs, Birgit Rademacker
Auteurs: Xiao Hui Wang, Cornelia Schinharl
Secrétariat d'édition: Katharina Lisson
Maquette: Konstantin Kern
Les recettes ont été testées par:
Ursula Eicher, Doris Leitner, Marianne Obermayr
Fabrication: BuchHaus. Kraxenberger. Gigler.GmbH
Cartographie: Huber, Munich

Sources des illustrations

Illustrations: Heike Czygan
Calligraphie: Hui Lin Xü

Photos des recettes et de la page 78:
Michael Brauner, photographe culinaire.
Photos illustrant le sommaire, le chapitre <Le pays et les gens...> et les informations sur les produits (à l'exception de celle de la page 78): Xiao Hui Wang
Photo de la couverture: Graham Kirk

Xiao Hui Wang, auteur et photographe, est née à Tianjin (Chine) en 1957. Elle a étudié l'architecture à Shanghai avant d'y être chargée de cours à l'université. Depuis 1986, elle vit à Munich, où elle donne des cours d'architecture chinoise et d'art des jardins. Elle travaille aussi, depuis plusieurs années, comme photographe et auteur indépendant. Plusieurs expositions de photos lui ont été consacrée, et elle a signé divers ouvrages. Mme Wang est également passionnée de cuisine. Pour réaliser cet ouvrage, elle a recueilli de nombreuses recettes auprès de ses parents et de ses amis chinois.

Cornelia Schinharl, auteur, vit dans les environs de Munich, où elle a étudié les langues, avant de se tourner vers la gastronomie. Elle s'est, en fait, toujours intéressée à la cuisine, et en particulier à celle des pays étrangers. Après avoir acquis une solide formation auprès d'un journaliste gastronomique de renom et travaillé dans une maison d'édition de Hambourg, elle est devenue rédactrice et auteur indépendant. Elle a publié de nombreux ouvrages.

Michael Brauner, photographe, a, après avoir obtenu son diplôme de l'école de photographie de Berlin, travaillé comme assistant auprès de photographes réputés, soit en France soit en Allemagne; puis il est devenu photographe indépendant. Son style personnel, qui met parfaitement en valeur les atmosphères, a été remarqué tant par les publicitaires que par les éditeurs. C'est dans ses ateliers de Munich, Karlsruhe et Gordes (en Provence) qu'il a réalisé les prises de vue de plats cuisinés qui illustrent les différents volumes de la collection LES GRANDES TRADITIONS CULINAIRES.

Heike Czygan, illustratrice, est, depuis toujours, fascinée par l'Asie, et la Chine en particulier. Elle a étudié le chinois pendant quatre ans et a passé plusieurs mois en Chine où elle a pu approcher la peinture Sumi-e. Elle a suivi une formation de dessin et graphisme. Elle est graphiste-illustratrice dans une importante maison d'édition. Les illustrations de ce livre sont inspirées de la tradition millénaire de la peinture Sumi-e, qui caractérise le dessin à l'encre de Chine.

Hui Lin Xü, calligraphe, est née à Jiangsu (Chine), en 1921. Elle a été professeur à l'école supérieure de musique et a composé de nombreuses pièces, notamment pour l'opéra ou le ballet. Elle vit à Tianjin où elle travaille comme calligraphe.

Remerciements
Nous tenons à remercier M. John Wate pour ses précieux conseils à Mme Wang.

Photos sans légendes
Pages 4-5: scènes de la vie chinoise; en haut à gauche: incriptions du mont Tai, l'une des quatre montagnes sacrées chinoise; en bas à droite: scène de rue à Chongqing.
Pages 8-9: le temple du Ciel à Bijing.